标准教程 STANDARD COURSE

HSK

主编：姜丽萍
LEAD AUTHOR: Jiang Liping

编者：么书君、杨慧真
AUTHORS: Yao Shujun, Yang Huizhen

6 上

北京语言大学出版社
BEIJING LANGUAGE AND CULTURE UNIVERSITY PRESS

序

2009年全新改版后的HSK考试，由过去以考核汉语知识水平为主，转为重点评价汉语学习者运用汉语进行交际的能力，不仅在考试理念上有了重大突破，而且很好地适应了各国汉语教学的实际，因此受到了普遍欢迎，其评价结果被广泛应用于汉语能力的认定和作为升学、就业的重要依据。

为进一步提升孔子学院汉语教学的水平和品牌，有必要建立一套循序渐进、简便易学、实用高效的汉语教材体系和课程体系。此次经国家汉办授权，由汉考国际（CTI）和北京语言大学出版社联合开发的《HSK标准教程》，将HSK真题作为基本素材，以**自然幽默的风格**、**亲切熟悉的话题**、**科学严谨的课程设计**，实现了与HSK考试内容、形式及等级水平的全方位对接，是一套充分体现考教结合、以考促学、以考促教理念的适用教材。很高兴把《HSK标准教程》推荐给各国孔子学院，相信也会对其他汉语教学机构和广大汉语学习者有所裨益。

感谢编写组同仁们勇于开拓的工作！

许　琳

孔子学院总部　总干事

中国国家汉办　主　任

前言

自2009年国家汉办推出了新汉语水平考试（HSK）以来，HSK考生急剧增多。至2013年底，全球新HSK实考人数突破80万人。随着汉语国际教育学科的不断壮大、海外孔子学院的不断增加，可以预计未来参加HSK考试的人员会越来越多。面对这样一个庞大的群体，如何引导他们有效地学习汉语，使他们在学习的过程中既能全方位地提高汉语综合运用能力，又能在HSK考试中取得理想成绩，一直是我们思考和研究的问题。编写一套以HSK大纲为纲，体现“考教结合”“以考促教”“以考促学”特点的新型汉语系列教材应当可以满足这一需求。在国家汉办考试处和北京语言大学出版社的指导下，我们结合多年的双语教学经验和对汉语水平考试的研究心得，研发了这套考教结合的新型系列教材《HSK标准教程》（以下简称“教程”）。

一、编写理念

进入21世纪，第二语言教学的理念已经进入后方法时代，以人为本，强调小组学习、合作学习，交际法、任务型语言教学、主题式教学成为教学的主流，培养学习者的语言综合运用能力成为教学的总目标。在这样一些理念的指导下，“教程”在编写过程中体现了以下特点：

1．以学生为中心，注重培养学生的听说读写综合运用能力

“考教结合”的前提是为学生的考试服务，但是仅仅为了考试，就会走到应试的路子上去，这不是我们编教的初衷。如何在为考试服务的前提下重点提高学生的语言能力，是我们一直在探索的问题，也是本套教材的特色之一。以HSK一、二级为例，这两级的考试只涉及听力和阅读，不涉及说和写，但是在教材中我们从一级开始就进行有针对性的语音和汉字的学习和练习，并且吸收听说法和认知法的长处，课文以“情景+对话+图片”为主，训练学生的听说技能。练习册重点训练学生的听力、阅读和书写的技能，综合起来培养学生的听说读写能力。

2．融入交际法和任务型语言教学的核心理念

交际法强调语言表达的得体性和语境的作用，任务型语言教学强调语言的真实性和在完成一系列任务的过程中学习语言，两种教学法都强调语言的真实和情境的设置，以及在交际过程中培养学生的语言能力。HSK考试不是以哪一本教材为依据进行的成绩测试，而是依据汉语水平考试大纲而制定的，是考查学习者语言能力的能力测试。基于这样的认识，“教程”编写就不能像以往教材那样，以语言点为核心进行举一反三式的重复和训练，这样就不能应对考试涉及的方方面面的内容，因此我们在保证词语和语法点不超纲的前提下，采取变换情境的方式，让学习者体会在不同情境下语言的真实运用，在模拟和真实体验中学习汉语。

3．体现了主题式教学的理念

主题式教学是以内容为载体、以文本的内涵为主体所进行的一种语言教学活动，它强调内容的多样性和丰富性，一般来说，一个主题确定后，通过接触和这个主题相关的多个方面的学习内容，加速学生对新内容的内化和理解，进而深入探究，培养学生的创造能力。"教程"为了联系学生的实际，开阔学生的视野，从四级分册开始以主题引领，每个主题下又分为若干小主题，主题之间相互联系形成有机的知识网络，使之牢固地镶嵌在学生的记忆深处，不易遗忘。

二、"教程"的特色

1．以汉语水平考试大纲为依据，逐级编写"教程"

汉语水平考试（HSK）共分六个等级，"教程"编教人员仔细研读了"大纲"和出题指南，并对大量真题进行了统计、分析。根据真题统计结果归纳出每册的重点、难点、语言点、话题、功能、场景等，在遵循HSK大纲词汇要求的前提下，系统设计了各级别的范围、课时等，具体安排如下：

教材分册	教学目标	词汇量（词）	教学时数（学时）
教程1	HSK（一级）	150	30～45
教程2	HSK（二级）	300	30～45
教程3	HSK（三级）	600	60～80
教程4（上/下）	HSK（四级）	1200	80～120
教程5（上/下）	HSK（五级）	2500	160～240
教程6（上/下）	HSK（六级）	5000及以上	240～320
总计：9册		5000以上	600～850

这种设计遵循汉语国际教育的理念，注重教材的普适性、应用性和实用性，海内外教学机构可根据学时建议来设计每册书完成的时限。比如，一级的《教程1》规定用34学时完成，如果是来华生，周课时是8课时的话，一个月左右就能学完；在海外如果一周是4课时的话，学完就需要两个月的时间。以此类推。一般来说，学完《教程1》就能通过一级考试，同样学完《教程2》就能通过二级考试，等等。

2．每册教材配有练习册，练习册中练习的形式与HSK题型吻合

为了使学习者适应HSK的考试题型，教材的各级练习册设计的练习题型均与该级别的HSK考试题型吻合，从练习的顺序到练习的结构等都与考题试卷保持一致，练习的内容以本课的内容为主，目的是使学习者学完教材就能适应HSK考试，不需额外熟悉考试形式。

3．单独设置交际练习，紧密结合HSK口试内容

在HSK考试中，口试独立于笔试之外，为了培养学生的口语表达能力，在教程中，每一课都提供交际练习，包括双人活动和小组活动等，为学习者参加各级口试提供保障。

本套教程在策划和研发过程中得到了孔子学院总部/国家汉办、北京语言大学出版社和汉考国际（CTI）的大力支持和指导，是全体编者与出版社总编、编辑和汉办考试处、汉考国际命题研发人员集体智慧的结晶。本人代表编写组对以上机构和各位参与者表示衷心的感谢！我们希望使用本教程的师生，能够毫无保留地把使用的意见和建议反馈给我们，以便进一步完善，使其成为教师好教、学生好学、教学好用的好教程。

姜丽萍

本册说明

《HSK标准教程6》适合学习超过360学时，大致掌握新HSK一至五级大纲所包含的2500个词语，准备参加HSK（六级）考试的汉语学习者使用。

一、全书分为上、下册，共40课，10个单元，教材涵盖HSK（六级）大纲中包含的2500个新增词语和部分超纲词（教材中用“*”标注）。每课建议授课时间为6~8学时。

二、本教材基本继承了《HSK标准教程》前五级的编写思路和体例，在难度、深度和广度上加以延伸，同时根据HSK（六级）考试特点进行了相应设计调整。

三、教程每课分为六大板块：热身、课文（含生词）、注释、练习、运用、扩展。

1.热身。热身环节旨在调动学习者的学习热情和兴趣，为新课的教学做好引入和铺垫。每课热身由两部分构成，第一部分通过图片导入，主要目的是导入本课部分生词；导入本课话题，引发讨论；回顾与本课部分生词相关的已学生词。第二部分通过语素构词的方法扩展学生的词汇量，让学生进一步熟悉汉语的构词特点，感受汉语词汇的可理解性。这一部分所遵循的原则为：（1）选择构词能力强的语素，（2）构词语素已学过，（3）语素义相对集中。热身的设计注重相关性、综合性、趣味性和可操作性，教师可要求学习者提前预习，或在正课开始前花少量时间引导学习者进行预热。

2.课文。所有课文话题均根据HSK（六级）真题语料统计确定。每单元有一个共同主题，每个主题包括四课。课文选择照顾到HSK（六级）话题的多样性，尽量多地涵盖真题统计出来的话题。全书40课，涵盖了人文、社会、科技、自然、文化、人物、经济、职业、历史、地理、文学、体育、生活、艺术、军事等话题，基本做到命题大纲中所提到的话题全覆盖，同时还增加了真题中并未出现但六级词汇涉及的话题，如：军事等。语料选取注重实用性、趣味性、规范性、真实性、教益性。课文长度从700字左右增加到1500字左右，呈阶梯状分布，做到循序渐进，逐级提高。课文以叙述、议论为主，兼及描写、说明，便于学习者掌握多种风格的文体。

3.注释。注释环节上册分为两部分，第一部分是“综合注释”，选取课文中出现的难点词语和语言结构等，从语义、语用等方面进行讲解，配合例句和练习，希望达到边学边用的目的。第二部分是“词语辨析”，选择一对易混淆的词语进行比较，除了配合例句讲解词语的异同以外，后边还配有4个即时操练题。下册除了这两部分以外，还有“篇章修辞”的内容，以提升学习者的语篇理解与表达能力。

4.练习。这一环节设计了多种形式的练习题，包括模仿例子，写出更多词语；用所给词语（或结构）改写（或完成）句子；选择合适的词语填空；模仿造句；根据提示，简述课文主要内容；等等。练习的目的是综合操练本课新学的重点词语和课文。结合HSK考试题型，我们在该级别特别设计了在语段中完形填空的练习形式。教师可以根据教学需要灵活安排，既可在注释讲练之后进行，也可在本课小结时用来检测学习者的学习情况，部分练习还可留作课后作业，以巩固和检查学习者对当课主要内容的掌握程度。

5.运用。运用环节主要针对HSK（六级）的标准和测试题型，重点训练学习者的写作能力，每课提供一个与本课主题或内容相关的话题，学习者可以先通过题目说明了解相关知识、文化常识等，然后根据具体要求，进行写作。为配合HSK（六级）考试，我们针对部分课文安排了缩写练习。

6.扩展。扩展环节上册特别安排了病句类型分析，针对HSK（六级）题型专门设计，每隔一课出现一次，举例讲解10种病句类型，并配有适当练习。另外上下册均通过各种形式（如意义类聚、话题类聚、语素类聚等），从六级新增2500词中选取部分词语，分类汇总，在每课列举其中1~2类进行扩展。词语的分类在考虑词义关联度的同时，兼顾义类与本课课文或生词的联系。

以上是对本教程使用方法的一些说明和建议，教师可以根据实际情况灵活使用本教材。希望本教程科学严谨、有针对性的设计可以帮助学习者顺利、轻松、高效地达成目标，实现从初级汉语到中级汉语跨越式的提升，有效地提高汉语水平与应试能力。

编者

目录 Contents

综合注释	词语辨析	扩展
1. 巴不得； 2. 别提多……了； 3. 具有语体差别的同义词	人家—别人	1. 病句类型：词语误用（一） 2. 词汇：词语搭配
1. 恨不得； 2. 顿时； 3. 不由得	体谅—原谅	词汇：表示动作的词语
1. 番； 2. 过于； 3. 着呢	起码—至少	1. 病句类型：词语误用（二） 2. 词汇：（1）表示动作的词语 （2）表示亲属称谓的词语
1. 乘机； 2. 不料； 3. 未免	恰巧—正好	词汇：（1）词语的语素义 （2）量词
1. 而已； 2. 固然； 3. 无非	专程—专门	1. 病句类型：成分残缺 2. 词汇：近义词
1. 唯独； 2. 明明； 3. 大不了	创立—创办	词汇：词语搭配
1. 于； 2. 致使； 3. 并非	日益—越来越	1. 病句类型：语序不当 2. 词汇：近义词
1. 对……而言； 2. 有关； 3. 不瞒你说	极端—极度	词汇：反义词
1. 通红、雪白； 2. 说A就A； 3. adj./v.＋得＋要命	索性—干脆	1. 病句类型：搭配不当 2. 词汇：词语的语素义
1. 以至； 2. 即便； 3. 所在	凡是—所有	词汇：地理方面的词语
1. 统统； 2. 以……为……； 3. 该干吗干吗	急切—急忙	1. 病句类型：表意不明 2. 词汇：名词
1. 不妨； 2. 务必； 3. 鉴于	不得已—不得不	词汇：词语搭配

综合注释	词语辨析	扩展
1. 便于； 2. 犹如； 3. 和……相比	一向——一度	1. 病句类型：逻辑不通 2. 词汇：（1）交通方面的词语 （2）农业方面的词语
1. 数量短语的重叠； 2. 难以； 3. 免得	鼓动—鼓励	词汇：反义词
1. 时而； 2. 不禁； 3. 无不	拥有—具有	1. 病句类型：成分冗余 2. 词汇：（1）名词； （2）自然方面的词语
1. 换句话说； 2. 为……所……； 3. 足以	以便—便于	词汇：近义词
1. 东A西B； 2. 中（zhòng）； 3. 姑且	势必——一定	1. 病句类型：句式杂糅 2. 词汇：词语的语素义
1. 随即； 2. 宁愿； 3. A归A	连同——一起	词汇：近义词
1. 进而； 2. 得以； 3. 偏偏	历来—从来	1. 病句类型：歧义句 2. 词汇：词语搭配
1. 况且； 2. 大； 3. 倒不如	将近—将要	词汇：名词

Unit 1

生活点滴

Moments of life

1 孩子给我们的启示

An epiphany from the children

热身 Warm-up

1 在你跟父母（或孩子）的关系中，遇到过下列情况吗？如果遇到，想一想该怎么办？如有更多情况，请补充说明。

2 想一想下列词语之间有什么联系。

女	女人、女士、女厕、女方、女生、女皇、女装、女性、妇女、少女、美女、独生女、母女
无	无数、无边、无价、无声、无语、无法、无关、无私、无悔、无望
醒	叫醒、吵醒、惊醒、推醒、睡醒
视	重视、忽视、轻视、环视、对视、相视、视觉、视线、视而不见

课文 Text 孩子给我们的启示（698字）

 01-1

林林和天天是同学。天天的父母要出差，想请我们帮忙照看几天女儿，我和老公爽快地答应下来，有个孩子和我们的独生女朝夕相处，我们巴不得呢！最兴奋的是林林，嚷着要用爸爸最拿手的美味佳肴欢迎天天来我家，还提出，她的书桌可以和天天共用。看到女儿对伙伴热情无私，我和老公别提多高兴了。

天天还没来，林林就变得异常勤劳，将屋子收拾得干干净净，东西摆放得整整齐齐，什么好事都想着天天。我家林林虽是女孩，却也绅士风度十足。

天天的到来，使我和老公的日子过得异常省心。两个孩子每天早上不用叫就醒了，上学不用接送，做作业不用督促；她们不打架，不闹别扭，关系别提多融洽了。看到女儿和天天这么亲密，大有忽略我们的趋势，我和老公都有点儿嫉妒了。

生词 01-2

1. 启示 qǐshì n. enlightenment, revelation
*2. 老公 lǎogōng n. husband
3. 爽快 shuǎngkuai adj. frank, forthright
4. 巴不得 bābudé v. to be only too anxious (to do sth.), to be eager
5. 嚷 rǎng v. to shout, to yell
6. 拿手 náshǒu adj. skilled, adept, expert
7. 佳肴 jiāyáo n. delicious food
8. 异常 yìcháng adv. extremely, particularly
9. 勤劳 qínláo adj. diligent, industrious
10. 绅士 shēnshì n. gentleman
11. 风度 fēngdù n. demeanor, manner
12. 十足 shízú adj. full, sheer
13. 督促 dūcù v. to supervise and urge
14. 打架 dǎ jià v. to fight, to come to blows
15. 别扭 bièniu adj. hard to get along with, on bad terms
16. 融洽 róngqià adj. getting along well, on friendly terms
17. 亲密 qīnmì adj. close, intimate
18. 忽略 hūlüè v. to ignore, to neglect
19. 嫉妒 jídù v. to envy, to be jealous

这天晚上，两个孩子做完作业，开始滔滔不绝地聊了起来，一个说，我不喜欢王朵朵，她就喜欢跟穿得漂亮的同学一起玩儿，还老嘲笑别人。另一个说我讨厌高春来，他最会讨好老师了……

我和老公对视一眼，这么小的孩子怎么学会了背后议论人。我郑重地走到她们跟前，严肃地说："看到别人有缺点，应该当面说，背后说人家的坏话不好。"老公也在旁边附和："大伙儿要和睦相处，对人要宽容。"女儿却是一脸的疑惑，反问道："你们不是也有时候说，哪个朋友好相处，哪个朋友很自私吗？"瞬间我和老公被问得说不出话来，屋子里鸦雀无声。

人们常说，启蒙老师的重要性不可忽视，父母就是孩子的第一任老师，这话确实不假，可如果这次不是女儿反驳，我还意识不到，我们自己的做法和对孩子的要求实行的是两套标准，那便是对自己宽容，对孩子严厉。孩子也可以是我们的老师啊。

说真的，这次是孩子给我上了一课：我深深地感到，想当好父母，首先要约束好自己的言行。

改编自《爱得有分寸，孩子才优秀》文章《别让孩子抓住你的"把柄"》

20. 滔滔不绝 tāotāo bù jué to pour out words in a steady flow
21. 嘲笑 cháoxiào v. to ridicule, to make fun of
22. 讨好 tǎo hǎo v. to try to please, to curry favor with
23. 郑重 zhèngzhòng adj. serious, solemn
24. 当面 dāng miàn adv. to one's face, in one's presence
25. 人家 rénjia pron. other people, others
26. 附和 fùhè v. to chime in with, to echo
27. 大伙儿 dàhuǒr pron. we all, you all, everybody
28. 和睦 hémù adj. harmonious, on good terms
29. 宽容 kuānróng v. to be tolerant
30. 疑惑 yíhuò n. doubt, confusion
31. 反问 fǎnwèn v. to ask (a question) in reply
32. 瞬间 shùnjiān n. instant, moment
33. 鸦雀无声 yāquè-wúshēng in utter silence
34. 启蒙 qǐméng v. to impart elementary knowledge to beginners, to initiate
*35. 任 rèn m. term of office
36. 反驳 fǎnbó v. to refute, to retort
37. 意识 yìshí v. to realize, to be aware
38. 实行 shíxíng v. to practice, to implement
39. 严厉 yánlì adj. stern, severe
40. 约束 yuēshù v. to keep within bounds, to restrain

注释（一）综合注释

Notes

1 巴不得

“巴不得”，动词，意思是“迫切盼望”。用于口语。例如：

（1）有个孩子和我们的独生女朝夕相处，我们巴不得呢！

（2）就快到春节了，在外地打工一整年的他巴不得马上回到老家和父母、孩子团聚。

（3）我巴不得他们能真的和好，从此以后和和睦睦过日子。

● **练一练**：用“巴不得”改写句子

（1）他不来太好了，我就希望他不来呢。

______________________________。

（2）有人请你玩儿你还不去？这样的好事我盼还盼不来呢。

______________________________。

（3）我多么希望你来帮帮我呀，怎么会觉得你多事呢？

______________________________。

2 别提多……了

“别提多……了”表示程度很深，不用细说。带有夸张的语气。例如：

（1）这个人办事，别提多负责了。

（2）看到女儿对伙伴热情无私，我和老公别提多高兴了。

（3）为了帮我的忙，把他累成那样，弄得我心里别提多过意不去了。

● **练一练**：用“别提多……了”改写句子

（1）听说女儿把这么好的工作给辞了，妈妈气坏了。

______________________________。

（2）看到他们两个相处得这么好，我高兴极了。

______________________________。

（3）联欢会上，我们自编自演的节目特别特别受欢迎。

______________________________。

3 具有语体差别的同义词

汉语中，有一些词，它们意义相同，但语体风格不同，如："将"和"把"、"道"和"说"、"便"和"就"、"即"和"就是"、"令"和"让"、"食"和"吃"，每组词中的前者具有书面语色彩，后者更多地用于口语。表达时选用什么词语、怎么表达，要根据文章的语言风格选择，使文章的整体风格一致。

（1）天天还没来，林林就变得异常勤劳，将屋子收拾得干干净净，东西摆放得整整齐齐，什么好事都想着天天。

（2）女儿却是一脸的疑惑，反问道："你们不是也有时候说，哪个朋友好相处，哪个朋友很自私吗？"

（3）我们自己的做法和对孩子的要求实行的是两套标准，那便是对自己宽容，对孩子严厉。

● **练一练**：写出与带点词语相对应的口语词

（1）在与林小雨的相处中，我发现她不仅爽快，还很健谈，跟谁都能滔滔不绝，聊起来没完。（　　）

（2）中国是世界上最早种茶、制茶、饮茶的国家，种茶的历史已有几千年了。（　　）

（3）他在信中写道："我不知道这本书是否能让你了解我及我生活的全部，我们努力吧。"（　　）

（二）词语辨析

人家——别人

	人家	别人
共同点	都是代词。都可以指说话人或听话人以外的人。不确指。 如：人家/别人都这么说，可是我不相信。	
不同点	1. 可以确指某个人或某些人。所说的人在上文已经出现。大致等于"他"或"他们"。 如：李阳天天帮我复习功课，我要是考不好，都对不起人家（指李阳）。	1. 没有这个用法。

不同点	2. 可以指说话人自己，等于"我"。（有亲热和俏皮的意味，多在女生撒娇时使用） 如：你跑慢点儿行不行？人家跟不上。	2. 没有这个用法。

● **做一做：** 下列句子中的"人家"指的是什么？在正确答案下打钩

	句子	别人	前边说过的人	说话人自己
1	我说了我的观点，可是人家都不同意。	✓		
2	你老给小丽打电话，不知道人家喜欢不喜欢你啊！			
3	你把我的生日都忘了，人家能不生气吗？			
4	你昨天借了小王100块钱，今天别忘了还给人家！			

练习 Exercises

1 模仿例子，写出更多的词语

例：反问：询问　提问　疑问　问题

爽快：________

打架：________

亲密：________

反驳：________

2 用所给词语或结构改写句子

❶ 听到这个消息，大家非常兴奋，忍不住欢呼起来。（异常）

________。

❷ 他做得最好吃的菜是西红柿炒鸡蛋。（拿手）

________。

❸ 我的工作就是不断提醒食品厂加强卫生管理。（督促）

________。

④ 这个老师很严格，谁不做作业都不行。（严厉）

____。

⑤ 我非常希望能马上回家见到妈妈。（巴不得）

____。

⑥ 这件事情太复杂了，我一个人根本处理不了。（别提多……了）

____。

3 选择合适的词语填空

和睦　　绅士　　爽快　　宽容　　十足

① 我老公是个热心人，别人有事需要帮忙时，他总是________地答应；我老公也很________，能原谅伤害过他的人，几乎跟所有的人都能________相处；我老公还很________，不管是挤汽车，还是上电梯，都坚持女士优先，风度________，我身边的朋友都羡慕我找了个好老公。

别扭　　亲密　　嘲笑　　当面　　反问

② 我和小丽关系很融洽，从来没闹过________。可突然有一天，我听说小丽在背后________我长得又胖又丑，我非常吃惊，马上要找她________问个究竟。小丽听了我的话后，笑了，她________道："你觉得我会说那样的话吗？一定是有人嫉妒我们关系好，故意那么说的。"我的疑惑没有了，我们仍然是________的朋友。

4 阅读语段，模仿造句

① 这天晚上，两个孩子做完作业，开始滔滔不绝地聊了起来，一个说，我不喜欢王朵朵，她就喜欢跟穿得漂亮的同学一起玩儿，还老嘲笑别人。另一个说我讨厌高春来，他最会讨好老师了……

刚一下课，他们就争论起来，一个说______________________，另一个说______________________。

② 人们常说，启蒙老师的重要性不可忽视，父母就是孩子的第一任老师，这话确实不假，可如果这次不是女儿反驳我，我还意识不到，我们自己的做法和对孩子的要求实行的是两套标准，那就是对自己宽容，对孩子严厉。

人们常说"有钱就有幸福"，这话确实不假，可如果________

____。

5 根据提示，简述课文主要内容

天天要来"我们"家，"我们"全家的态度怎么样？	①"我"和老公的态度： ②林林的态度： ③全家别提多……了
天天到来之前，林林有什么变化？	①变得异常…… ②……收拾得…… ③……摆放得…… ④什么好事都……
天天来了之后，两个孩子表现如何？	早上……，上学……，做作业……，不……，不……，关系……
两个孩子做错了什么？父母怎样教育他们？	①一个说……，另一个说…… ②"我"严肃地说："……" ③老公附和："……"
孩子的疑惑是什么？大人有什么做错了的地方？	①女儿反问："你们不是也……吗？" ②两套标准：对自己……，对孩子……
这个故事告诉我们什么道理？	想当好父母，首先要……

运用 Application

写一写

这篇课文通过家庭生活中的一件小事告诉我们：虽然父母是孩子的启蒙老师，可有时孩子也是父母的老师。要想当好父母，首先要约束好自己的言行。请参考练习5，把课文缩写成300字左右的短文。

扩展 Expansion

1 病句类型：词语误用（一）

汉语中有些词汇意义相近或相关，它们之间只有一些细小的差别，例如词义范围大小不同、词义轻重不同、词义侧重点不同、词语褒贬义不同等，稍不注意就容易出现词语误用的现象。例如：

序号	病句	分析
1	*在公益行为中，受助者固然得益，助人者也获得了精神的满足。	词义范围大小误用。“行为”指“受思想支配而表现出来的活动”，一般来说，行为是个人的，而非集体的。这里应改为“行动”。
2	*他的毕业论文被评为优秀论文，爸妈都为儿子的成就高兴。	词义轻重问题。事业上的成绩称为“成就”，此处应改为“成绩”。
3	*飞机还没落地，接机大厅便站满了数百名前来迎接的人群。	个体名词与集体名词误用。“人群”是整体性名词，前面不能再用“数百名”限制。应将“人群”改为“人”。
4	*网络的隐蔽性，使人在交往中减少了顾虑，就算是初次在聊天室搭话，也可以做到无所拘谨。	词义侧重点错误。“拘谨”侧重于（言语、行动）过分谨慎。这里应改用“拘束”，“无所拘束”的意思是“不限制自己”。
5	*我们的晚会开得可喧闹了，大家玩儿得高兴极了，直到凌晨才散。	带褒贬义的词语误用。“喧闹”是贬义词，应改为“热闹”。

● **练一练**：指出下列句子的错误，并提出修改建议

❶ 看到这样的事情，我惊讶得目瞪口呆，不信任这样离奇的事竟然真的在我眼前发生了。

❷ 这次比赛暴露出很多思维敏捷、口才出众、演讲能力强的学生。

❸ 他们觉得你刚工作，年龄又小，实际上你聪明，能力也很强，你不能太衰弱了，要做生活的强者。

④ 越是到了冬天，我越爱迟到，这星期我迟到了好几次，老师批判了我，弄得我好没面子。

⑤ 每到上下班的时候，马路上一辆辆的车辆排成长龙，把马路堵得水泄不通。

2 词汇：熟悉下列词语搭配

词汇	搭配	例句
留恋	十分留恋/留恋故土	飞机起飞了，对这片土地，我心中充满留恋。
开朗	性格开朗/心情开朗	她开朗乐观，热爱生活。
闲话	说闲话	大家在院里聊了会儿闲话，就回家了。
风趣	幽默风趣	王教授讲课十分风趣，选他的课的人特别多。
恩怨	个人恩怨/恩怨情仇	我们决定，为了工作，忘掉多年的恩怨。
娇气	太娇气了	她个子瘦小，却不娇气。
伶俐	口齿伶俐/聪明伶俐	他们有个聪明伶俐的好儿子。
挑剔	过分挑剔	她把自己打扮得很美，美得无可挑剔。
挑拨	挑拨离间	没有人能够挑拨我们之间的关系。
气质	有气质/气质优雅	他变得更英俊，也更有气质了。
容貌	容貌秀美	她不但有出众的容貌，而且心地善良。
福气	有福气/福气大	一生没有遇到战争就是福气。

2 父母之爱

Love of parents

热身 Warm-up

1 中国有句俗话："打是亲，骂是爱"，你能理解吗？下面这些事情中，你觉得父母做得对不对？为什么？

帮孩子做所有的事情

为了了解孩子，偷看孩子的日记

让孩子分担家务

假期让孩子去打工赚自己的零花钱

对孩子的事情不闻不问

孩子做错了事情，打骂孩子

2 想一想下列词语之间有什么联系。

光	阳光、月光、星光、灯光、火光、发光、放光、光明、光亮
爱	亲爱、可爱、热爱、疼爱、友爱、恋爱、关爱、求爱、相爱、爱情、爱心、爱护、爱惜、爱好
自	自动、自豪、自觉、自私、自由、自愿、自信、自费、自夸、自救、亲自、各自
心	放心、关心、小心、粗心、开心、耐心、伤心、专心、信心、爱心、决心、热心、心情、心理、心脏

课文 Text 父母之爱（701字） 02-1

我从小生活在一个有爱的家庭，父母感情和睦，很少吵架，他们对我态度和蔼，说话和气，目光中都充满着慈祥。他们和我身边所有父母一样，给我很多宠爱，我也和身边所有的孩子一样，在跨进大学校门之前，从没有离开过家，独立自主的能力就更甭提了。脱离父母，独立生活对我具有巨大的诱惑，让我无比向往。

几年以后，我终于在别的城市上了大学。第一次离开家，心里的孤独感一下子跑了出来。记得刚开学的时候，宿舍里的同学一给家里打电话就哭鼻子，每到节假日，大家更是片刻不停地往家赶。有同学回趟家要坐一夜的火车，这也阻挡不了大家回家的步伐。回家的快乐和被亲情包围的幸福感染了我，我也恨不得马上飞到父母跟前，与他们团圆。

假期终于要到了，我给父母打电话，告诉他们我准备回家。母亲却说，近来他们比较忙，要没什么事，就甭回来了，在学校看看书，或找份

生词 02-2

1. 和蔼 hé'ǎi adj. kindly, amiable
2. 和气 héqi adj. gentle, kindly
3. 目光 mùguāng n. expression in one's eyes
4. 慈祥 cíxiáng adj. (of an elder) kindly, affable
5. 跨 kuà v. to step, to stride
6. 自主 zìzhǔ v. to decide for oneself, to be one's own master
7. 甭 béng adv. don't, needn't
8. 脱离 tuōlí v. to break away from, to separate oneself from
9. 诱惑 yòuhuò v. to entice, to tempt
10. 无比 wúbǐ v. to be incomparable, to be unparalleled
11. 向往 xiàngwǎng v. to yearn for, to look forward to
12. 孤独 gūdú adj. lonely, solitary
*13. 哭鼻子 kū bízi to cry, to weep
14. 片刻 piànkè n. short while, moment
15. 步伐 bùfá n. step, pace
16. 包围 bāowéi v. to surround, to encircle
17. 感染 gǎnrǎn v. to infect, to affect
18. 恨不得 hènbude v. to be anxious to, to be dying or itching to
19. 跟前 gēnqián n. in front of, close to
20. 团圆 tuányuán v. to reunite
21. 近来 jìnlái v. recently, lately

兼职做做。母亲的话使我酝酿已久的恋家情绪刹那间就没有了，我无法理解父母的反常，心中暗暗埋怨父母不体谅我。无精打采了几天之后，我不得不开始规划怎样熬过漫长的假期。

假期的校园寂静得很，我在图书馆看书，给杂志社写稿件，发现在难得的寂静中工作是那么美好。

大学三年级，我回了趟家。母亲第一眼看到我时，脸上满是心疼，但瞬间那情绪就被她掩饰起来，我心中飞快地闪过一丝疑惑：他们在隐瞒什么呢？

那晚，我躺下怎么也睡不着，半夜听到母亲还在跟父亲唠叨："孩子比在家时瘦多了，肯定是吃苦了，可她的变化还是挺让咱们欣慰的。"接着是父亲的声音："总有一天她会明白的，不吃苦，怎么长本事？社会不需要只会享福的人。"

我悄悄走出卧室，看到灯光下父母不舍的目光、头上新增的白发和眼角越来越深的皱纹，顿时什么都明白了，不由得热泪盈眶。

改编自《北京青年报》文章《假装没那么担心你》，作者：猪小浅

22. 酝酿 yùnniàng v. to brew, to ferment, to deliberate (upon)
23. 刹那 chànà n. instant, split second
24. 反常 fǎncháng adj. unusual, abnormal
25. 埋怨 mányuàn v. to complain, to blame
26. 体谅 tǐliàng v. to show understanding and sympathy, to make allowances
27. 无精打采 wújīng-dǎcǎi listless, in low spirits
28. 规划 guīhuà v. to plan
29. 熬 áo v. to endure, to hold out
30. 漫长 màncháng adj. very long, endless
31. 寂静 jìjìng adj. quiet, silent
32. 稿件 gǎojiàn n. manuscript, contribution
33. 难得 nándé adj. hard to come by, rare
34. 心疼 xīnténg v. to feel painful, to be tormented
35. 掩饰 yǎnshì v. to cover up, to conceal
36. 隐瞒 yǐnmán v. to hide, to conceal
37. 唠叨 láodao v. to chatter, to be garrulous
38. 吃苦 chī kǔ v. to bear hardships, to suffer
39. 欣慰 xīnwèi adj. gratified, satisfied
40. 本事 běnshi n. ability, capability
41. 皱纹 zhòuwén n. wrinkle
42. 顿时 dùnshí adv. at once, instantly
43. 不由得 bùyóude adv. can't help (doing sth.)
44. 热泪盈眶 rèlèi yíng kuàng one's eyes brimming with tears

注释（一）综合注释

Notes

1 恨不得

“恨不得”，动词，表示急切地盼望做成某事，多用于实际做不到的事情。例如：

（1）工作忙的时候，她恨不得一个人干两个人的活儿。

（2）他累坏了，恨不得一下子倒在床上，睡上三天三夜。

（3）回家的快乐和被亲情包围的幸福感染了我，我也恨不得马上飞到父母跟前，与他们团圆。

● **练一练：** 完成句子

（1）听到这个消息，他难受得不得了，恨不得________________。

（2）他饿极了，恨不得______________________________。

（3）我又看了看表，它好像根本就没往前走，我真恨不得把表____。

2 顿时

“顿时”，副词，表示动作、行为在某种情况下或紧接着某事发生。多用于书面。例如：

（1）傍晚，我们在大山里迷路了，能够和外面联系的手机成了唯一救命的工具。大家拿出手机看了看，居然都快没电了，两个女生顿时急得哭了起来。

（2）我悄悄走出卧室，看到灯光下父母不舍的目光、头上新增的白发和眼角越来越深的皱纹，顿时什么都明白了。

（3）听了医生的话，顿时，他的心里又燃起了希望。

● **练一练：** 用“顿时”改写句子

（1）听她这么一说，我立刻没了主意。

____。

（2）一场大雨过后，我们要经过的那条公路断路了，计划好的旅行不能成行，孩子立刻急哭了。

____。

（3）专题讲座就要开始了，深受大家喜爱的老教授走上了讲台，马上，会场变得鸦雀无声。

____。

3 不由得

“不由得”，副词，表示控制不住自己，忍不住。上下文多有不能抑制的原因。常用格式为“不由得＋动词短语／主谓短语”。例如：

（1）李朋带病上场参加比赛了，我不由得有些担心。

（2）书中描写的情景，让我不由得回想起和圆圆谈恋爱时的幸福和快乐。

（3）我悄悄走出卧室，看到灯光下父母不舍的目光、头上新增的白发和眼角越来越深的皱纹，顿时什么都明白了，不由得热泪盈眶。

● **练一练：**用“不由得”改写句子

（1）山路窄窄的，还不平，车开得飞快，我们坐在车上难免有些担心。

____。

（2）第一次上台，我的心里不免有些发慌。

____。

（3）表演太精彩了，大家情不自禁地鼓起掌来。

____。

（二）词语辨析

体谅——原谅

	体谅	原谅
共同点	都是动词，都有给以谅解的意思，但一般不能换用。	
不同点	1. 有“设身处地为人着想，给人谅解和理解”的意思。前边可以加副词，如“很、非常”等。	1. 意思侧重于“对人的疏忽、过失或错误给以谅解，不加责备或惩罚”。前边一般不能加副词。
	如：我的家离公司很远，孩子又小，老板很体谅我，允许我晚半个小时上班。	如：昨天我没写完作业，是因为我病了，所以老师原谅了我。
	2. 可以重叠使用。	2. 一般不重叠使用。
	如：他家确实有特殊情况，你就体谅体谅他吧。	

- **做一做**：选择“体谅”或“原谅”填空

❶ 妈妈，______我吧，我不是故意的，下次一定不这样了。
❷ 他太不______我了，我又要工作又要做家务，他还批评我干得慢。
❸ 小丽是个善良的女孩，很能______别人。
❹ 虽然这次我______了他，但他并没有就此改正自己的错误。

练习 Exercises

1 模仿例子，写出更多的词语

例：和蔼：和睦　　和气　　和平　　心平气和

脱离：______

无比：______

吃苦：______

顿时：______

2 用所给词语完成句子

❶ 我喜欢旅行，______。（向往）
❷ 那家饭馆的环境很不好，顾客们______。（埋怨）
❸ 看到这么精彩的表演，大家______。（不由得）
❹ 中秋节，全家团圆在一起，妈妈______。（无比）
❺ 一天没吃饭，我饿坏了，______。（恨不得）
❻ 他丢了工作，但怕妈妈担心，所以______。（隐瞒）

3 选择合适的词语填空

无精打采　　隐瞒　　反常　　热泪盈眶　　不由得

❶ 最近我的朋友小李有些________，每天都________的，他以前可是非常开朗的啊。我________担心起他来。于是我找了个机会跟他说："如果你遇到了什么困难，千万别________，告诉我，我们一起想办法解决吧！"听了我的话，小李感动得________。

酝酿　　埋怨　　近来　　顿时　　体谅

❷ ________公司的事情比较多，我______已久的旅行也只能放弃了。心中暗暗______老板太不______员工了。但反过来一想，只有公司发展好了，我们才会有更好的未来。于是，那些不满的情绪______消失了。

4 阅读语段，模仿造句

❶ 记得刚开学的时候，宿舍里的同学一给家里打电话就哭鼻子，每到节假日，大家更是片刻不停地往家赶。回家的快乐和被亲情包围的幸福感染了我，我也恨不得马上飞到父母跟前，与他们团圆。

记得__________的时候，我一__________就__________，每到________，我更是________。那些下班后急忙忙赶回家的人们感染了我，我也恨不得______________________________。

❷ "孩子比在家时瘦多了，肯定是吃苦了，可她的变化还是挺让咱们欣慰的。"接着是父亲的声音："总有一天她会明白的，不吃苦，怎么长本事？社会不需要只会享福的人。"

他现在开着豪华汽车，全身上下都是名牌，肯定是__________，可______________。

5 根据提示，简述课文主要内容

“我”的家庭是什么样的家庭？	❶ 父母感情…… ❷ 父母对我的态度…… ❸ 我的独立能力……
上大学后，“我”想家的感受是什么样的？	❶ 心里的孤独感…… ❷ 别的同学…… ❸ 我也恨不得……
假期到来时，父母给“我”什么建议？“我”能理解吗？	❶ 要没什么事，就……，在学校……，或找份…… ❷ 我无法……，心中暗暗……
“我”的假期是怎么度过的？	❶ 在图书馆…… ❷ 给杂志社……
“我”回家后，知道了什么真相？	

运用 Application

写一写

学完了这篇课文，请想一想，父母对孩子的爱只是简单的爱吗？有时候父母的做法可能孩子不理解，但其实都是对孩子的爱。你跟父母之间有这样的故事吗？请以“父母给我的爱”为题，写一篇不少于300字的文章。文章中请写清楚事情发生的前因后果，以及怎样通过这件事情感受到了父母之爱。

扩展 Expansion

词汇：看图片，熟悉下列表示动作的词语

	掰 把面包掰开。		**鞠躬** 孩子给父母鞠躬。
	搀 搀着老人过马路。		**扛** 他扛着一个箱子。
	飞翔 天空中有一只飞翔的鸟儿。		**啃** 孩子在啃苹果。
	搅拌 把碗里的鸡蛋搅拌一下。		**挎** 她胳膊上挎着很多包。
	敬礼 他们在给领导敬礼。		**晾** 外面晾着几件衣服。

3 一盒月饼

A box of moon cakes

热身 Warm-up

1 根据图片回答问题。

❶ 图中是什么食品？
❷ 这是中国的什么节日？
❸ 这个节日有什么活动和意义？

2 想一想下列词语之间有什么联系。

面	见面、会面、迎面、表面、片面、全面、方面、对面、面对、面临、面前、面对面、爱面子
主	主要、主题、主讲、主持、主任、主席、主管、主导、主机、主课、主流、主体、先入为主
喜	欢喜、惊喜、可喜、欣喜、喜庆、喜悦、喜讯、喜剧、喜事、贺喜、欢天喜地、喜气洋洋
身	身体、身边、身影、身材、身心、转身、起身、随身、自身、健身、瘦身、挺身而出

课文 Text 一盒月饼（713字） 03-1

清晨上班，走到公司楼下，迎面站着一位农民工模样的男人，他打量了我一番，到嘴边的话又不说了。我停住脚步，疑惑地问："您有事吗？"他搓着手，迟疑地说："有件事想拜托你。"

"您说吧，只要能帮的，我一定帮。"这回轮到我打量他了：饱经沧桑的脸上流露出朴实；一双过于操劳的大手；胡须起码一个星期没刮了；南方口音。

果然，他来自南方的一个乡镇，原先是裁缝，现在在我们旁边的港口干活。他女儿在上海，中秋节快到了，要给他寄盒月饼，可他白天在工地，地址没法写，想请我帮他代收一下。

"这个忙好帮，您不怕我把收到的月饼给吃了？"我半开玩笑地说。他笑着说："不会，你和我女儿一样，斯斯文文的，一看就读过书，

生词 03-2

*1. 月饼 yuèbing n. moon cake
2. 清晨 qīngchén n. early morning
3. 迎面 yíngmiàn adv. head-on, face to face
4. 模样 múyàng n. appearance, look
5. 打量 dǎliang v. to look up and down, to size up
6. 番 fān m. (*used with certain numerals to indicate a process or an action that takes time and effort*) time
7. 搓 cuō v. to rub with hands
8. 迟疑 chíyí adj. hesitant
9. 拜托 bàituō v. to ask a favor of, to request
10. 饱经沧桑 bǎojīng-cāngsāng to have witnessed or experienced many changes in life
11. 流露 liúlù v. to show unintentionally (one's thoughts or feelings), to reveal involuntarily
12. 朴实 pǔshí adj. sincere, honest
13. 过于 guòyú adv. too, exceedingly
14. 操劳 cāoláo v. to work hard
15. 胡须 húxū n. moustache, beard
16. 起码 qǐmǎ adj. minimum, at least
17. 口音 kǒuyīn n. accent
18. 乡镇 xiāngzhèn n. small town
19. 原先 yuánxiān n. former, original
20. 裁缝 cáifeng n. tailor
21. 港口 gǎngkǒu n. port, harbor
22. 斯文 sīwen adj. gentle, refined

心眼儿好，守信誉，怎么会欺骗我呢？”他说女儿念了硕士，有学位，在一家一流的公司上班，是个主管，还有助手，怎么也算得上是公司的骨干。”说起女儿，他满脸的骄傲。

我记下了他的电话，给了他一张我的名片。他小心翼翼地收起来，满怀喜悦地走了。

第三天中午，我收到了一个重重的包裹，发件人叫“张心悦”。我马上拨打张师傅的电话，却无人接听，给他发短信，他也不回，直到下班，仍旧没有音信。

我心里隐约有些不安，抱着包裹就往工地跑，找了一位工人，请他帮忙找张师傅。一会儿，浑身汗水的张师傅来了。他见了我又是道歉又是感谢，说今天特别忙，手机没电了都不知道。说着就要拆包裹，非要请我吃月饼不可。我说家里什么馅儿的月饼都有，还是赶快给女儿打电话吧。

电话通了，张师傅满脸慈爱，笑得别提多灿烂了：“心心，月饼爸爸收到了，……我身体好着呢，别惦记，好好工作，别给爸爸丢人啊……”讲完电话，张师傅还没忘了向我炫耀他的女儿，“要面子着呢，从来没有辜负过我的期望。”

看得出，女儿是他的幸福。

改编自《北京青年报》文章《云中谁寄月饼来》，作者：青蓝

23. 心眼儿 xīnyǎnr n. intention, heart
24. 信誉 xìnyù n. credit, reputation
25. 欺骗 qīpiàn v. to deceive, to cheat
26. 学位 xuéwèi n. academic degree
27. 一流 yīliú adj. first-class
28. 主管 zhǔguǎn n. person in charge, manager
29. 助手 zhùshǒu n. assistant
30. 骨干 gǔgàn n. backbone, mainstay
31. 小心翼翼 xiǎoxīn-yìyì with utmost care, gingerly
32. 喜悦 xǐyuè adj. delightful, joyous
33. 拨 bō v. to dial
34. 仍旧 réngjiù adv. still, as ever
35. 隐约 yǐnyuē adj. indistinct, faint, vague
36. 浑身 húnshēn n. all over the body, from head to heel
37. 馅儿 xiànr n. filling, stuffing
38. 灿烂 cànlàn adj. magnificent, splendid, bright
39. 惦记 diànjì v. to keep thinking about, to be concerned about
40. 丢人 diū rén v. to be disgraced, to lose face
41. 炫耀 xuànyào v. to flaunt, to show off
42. 面子 miànzi n. face, reputation
43. 辜负 gūfù v. to let down, to fail to live up to
44. 期望 qīwàng v. to hope, to expect

注释（一）综合注释

Notes **1** 番

“番”，量词。

① 用于费时较多，用力较大或过程较长的动作。意思是“遍、回”。例如：

（1）他打量了我一番，到嘴边的话又不说了。

（2）那只小鸟做了一番最后的挣扎，慢慢地，躺在那里不动了。

② 用于心思、言语、过程等，表示次数。数词只能是“一、几”。例如：

（1）父母的话常常在他耳边回响，他总在提醒自己不要辜负了父母的一番期望。

（2）经过了几番风雨，他才懂得人生的价值。

③ 用在动词“翻”后面，意思是“倍”。例如：

（1）和五年前比，多数人的工资已经翻番了。

（2）“翻番”的意思就是在基数上增长一倍。如“一个”翻一番是“两个”，在“一”的基数上增长一倍；再翻一番是“四个”，在“二”的基数上增长一倍；再翻一番是“八个”，在“四”的基数上增长一倍，依此类推。

● **练一练**：用“番”改写句子

（1）经理说，如今确定下来的改革方向，是经过了长时间认真考虑的。

______________________________。

（2）他汉字写得好，也是经过了好长时间艰苦付出的。

______________________________。

（3）他把我从上到下好好打量了一阵子，还是有些疑惑，仿佛不敢确定我是谁。

______________________________。

2 过于

“过于”，副词，表示超过一定限度，过分。常用格式为“过于+形容词/动词”。例如：

（1）他出来得过于匆忙，居然忘了带手机。对于现在的年轻人，没有手机的日子，一天也是难熬的。

（2）进了山才发现，这里人烟过于稀少了，车开上好一阵子都见不到一个人。

（3）这回轮到我打量他了：饱经沧桑的脸上流露出朴实；一双过于操劳的大手；胡须起码一个星期没刮了；南方口音。

● **练一练：** 用“过于”完成句子

（1）有的登山爱好者遇险，是因为____________________。

（2）不要____________________，世间有很多东西比金钱更宝贵。

（3）你把他看得____________________，其实他是个又简单又纯朴的人。

3 着呢

“着呢”，助词，表示程度深，带有夸张的语气。用于口语。例如：

（1）别看我已经年过七旬，我身体好着呢。

（2）他肯定发烧了，身上烫着呢。

（3）（我女儿）要面子着呢，从来没有辜负过我的期望。

● **练一练：** 用“着呢”改写句子

（1）不行，干不动了，今天不干了，我太累了。

____________________________________。

（2）天天上下班的时候，公共汽车特别挤。

____________________________________。

（3）注意点儿，最近感冒的人多，医院里都是人。

____________________________________。

（二）词语辨析

起码——至少

	起码	至少
共同点	都表示最低限度。	
	如：小孩子每天起码/至少要睡九个小时。	
不同点	1. 形容词，可作为定语出现在名词前。	1. 副词，不能在名词前做定语。
	如：按时上课，这是对学生起码的要求。	如：*这是至少的要求。（×）
	2. 前边可以加"最"强调最少、最低的要求。	2. 前边不能加"最"这类词强调。
	如：我一个月的电话费最起码也要100块钱。	如：*最至少要100元。（×）

● **做一做**：判断正误

1. 我们一个星期起码要上16个小时的课。（　　）
2. 记住每天学过的生词，这是对学生至少的要求。（　　）
3. 人家帮了这么多忙，你最起码要说声谢谢吧？（　　）
4. 我看那箱苹果最至少也有十公斤。（　　）

练习 Exercises

1 模仿例子，写出更多的词语

例：口音：声音　录音　拼音　音乐

朴实：________

过于：________

一流：________

惦记：________

2 用所给词语或结构改写句子

❶ 我花了三天时间，把那篇文章从头到尾研究了一遍。（番）

______________________________。

❷ 那个好心人修好了我的自行车。（把……给……）

______________________________。

❸ 他在北京居住了40多年，可以说是个地道的北京人了。（算得上）

______________________________。

❹ 晚餐会上，有中餐，有西餐，丰盛极了。（又是……又是……）

______________________________。

❺ 要学好汉语，一定得努力，除此以外，没有别的好方法。（非……不可）

______________________________。

❻ 别烦我，我太忙了，让我安静一会儿吧。（着呢）

______________________________。

3 选择合适的词语填空

操劳　　骨干　　辜负　　月饼　　期望

❶ 大学毕业后，我到了一家贸易公司，工作努力勤奋，现在也算得上是公司的______了。中秋节快到了，我打算给父母送盒______表达心意，因为父母为我们______了半辈子，现在也该享享福了。我努力工作就是为了不______父母对我的______。

拨　　起码　　隐约　　仍旧　　拜托

❷ 昨天我______打好朋友小王的电话，却一直无人接听，直到今天早上______没有他的音信。我心中______有种不安的感觉，便给小王单位打了个电话，想______他的同事查看一下小王的情况，同事告诉我，小王的手机坏了，______要一个星期才能修好，知道小王没事，我就放心了。

4 阅读语段，模仿造句

❶ 我马上拨打张师傅的电话，却无人接听，给他发短信，他也不回，直到下班，仍旧没有音信。

我＿＿＿＿＿＿＿＿，却＿＿＿＿＿＿＿＿，＿＿＿＿＿＿＿＿，他也＿＿＿＿＿＿＿＿，直到＿＿＿＿＿＿＿＿，仍旧＿＿＿＿＿＿＿＿。

❷ 他见了我又是道歉又是感谢，说今天特别忙，手机没电了都不知道。说着就要拆包裹，非要请我吃月饼不可。

上个星期我帮了同学一个忙，他见了我又是＿＿＿＿＿＿＿＿又是＿＿＿＿＿＿＿＿，说如果没有我，他真不知道该怎么办好了。说着还递给我一个包装很漂亮的礼物，非＿＿＿＿＿＿＿＿不可。

5 根据提示，简述课文主要内容

“我”在公司楼下遇到的那个男人是什么样的？	❶ ……模样　❷ 脸：　❸ 手：　❹ 胡须：　❺ 口音：
这个男人想拜托“我”做什么？	❶ 女儿在……工作，……节快到了，女儿想给……寄…… ❷ 可……白天在……，地址…… ❸ ……请我代收……
他为什么找到“我”帮忙？	斯斯文文、心眼儿、信誉
他的女儿工作怎么样？	硕士、学位、一流、主管、骨干
“我”收到包裹后，做了什么？	拨打、发短信、不安、往工地跑、找到
他跟“我”见面后，做了什么？	又是……又是……、非……不可、给女儿打电话

运用 Application

写一写

这篇课文讲述了发生在中秋节前的一个感人的故事，请参考练习5，把课文缩写成300字左右的短文。缩写时请注意写清楚时间，地点，人物（“我”、男人、女儿）的特点和性格，事情的发生、发展和结局。

____

____

____

扩展 Expansion

1 病句类型：词语误用（二）

词汇误用的情况还包括实词之间的误用、实词与虚词之间的误用、虚词的误用和滥用，另外，汉语部分词汇蕴含着感情色彩、语体色彩，感情色彩及语体色彩的误用也是留学生容易出现的问题。例如：

序号	病句	分析
1	*整整一夜，我几乎没睡，一直在回想他的话，可是不管他说什么，我也想自己没有错误。	实词误用。“想”的意思是“开动脑筋；思考”或者“推测”，用在本句都不妥，应换用“认为”或“觉得”，意思是“自己确定的看法或者判断”。
2	*咱们毕业都25年了，一直没见你，你下次给我写信时，随信奉上你的照片。	语体词误用。“奉”的意思“给；献给”，“奉”是敬体词，只能用于下级对上级，晚辈对长辈。本句应改为“寄上”。
3	*我大概每天下班后都要去书店买书，然后再回家。	副词误用。副词“几乎”表示非常接近、差不多。“大概”做形容词表示不十分详尽的、大致；做副词表示对数量、时间的不太精确的估计，或者对情况的推测。本句要表达的是“差不多”的意思，句中“大概”应换为“几乎”。

序号	病句	分析
4	*大企业招聘主要看实力，没有实力的话，无论来自很有名的大学，人家也不要你。	带关联词的固定搭配误用。“无论／不管……多／多么……”是固定格式，“多么”表示任何一种程度。“无论”分句应改为“无论来自多么有名的大学，……”。
5	*这个酒店服务质量之差有口皆碑，可是天晚了，我们无处可去，只好硬着头皮住进去。	成语误用。“有口皆碑”是褒义词，意思是人人称赞，这里错用。可改为“尽人皆知”。

- **练一练：**指出下列句子的错误，并提出修改建议

❶ 因为是冬天，没有什么人到山上来玩儿。我站在山顶上，空气很清凉。

❷ 我的腿受伤了，不能去滑雪，我很眼红我的朋友们。

❸ 到北京来的时候，我带来一个好玩儿的U盘，偶然，我的同屋也带来一个。

❹ 有一天在书店，我看了一个小偷，偷了本书。

❺ 如果不修建这些水利工程，遇到严重的水旱灾害，其后果不可思议。

2 词汇

（1）看图片，熟悉下列表示动作的词语

	**搂** 孩子亲热地搂着妈妈。	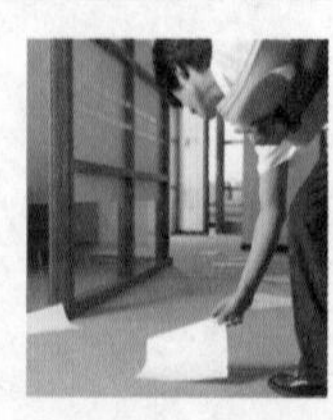	**拾** 把地上的纸拾起来。

	拧 把毛巾拧干。		**投掷** 他正在准备投掷铅球。
	飘扬 红旗迎风飘扬。		**绣** 她很喜欢绣花儿。
	泼 泼水节时人们会互相泼水表示祝福。		**牵** 两个人手牵手。
	掐 请不要掐花儿。		**削** 吃苹果时最好削皮。

（2）熟悉下列表示亲属称谓的词语

父亲的哥哥称为伯父， 伯父的妻子怎样称呼？	→	伯母
哥哥的妻子怎样称呼？	→	嫂子
妻子的母亲怎样称呼？	→	岳母
弟兄或其他同辈男性亲属 的儿子怎样称呼？	→	侄子

4 完美的胜利

A perfect victory

热身 Warm-up

1 给下面的词语选择对应的图片，并回答下面的问题。

① 老鼠 ________　② 蝴蝶 ________　③ 猴子 ________

④ 老虎 ________　⑤ 大象 ________　⑥ 猫 ________

A

B

C

D

E

F

问题： 上边的动物中，你觉得强大的是哪些？弱小的是哪些？你认为老鼠可以战胜大象吗？如果可以，方法是什么？

2 想一想下列词语之间有什么联系。

物	宠物、人物、动物、植物、食物、事物、博物馆、购物、读物、废物、药物、建筑物、物质
弱	弱小、弱点、弱者、瘦弱、软弱、体弱、微弱、减弱、柔弱、示弱、虚弱、老弱病残
悲	悲伤、悲观、悲痛、悲剧、悲苦、悲惨、悲欢离合、可悲、乐极生悲
费	耗费、花费、浪费、消费、白费、费时、费心、费力、费钱、费电、费劲、费尽心机

课文 Text 完美的胜利（750字） 04-1

老鼠是山神的宠物，它厌倦了宠物的生活，也很厌恶宠物这个角色，于是向山神请假，要求到动物世界走一回，心想一定要找机会证明一下自己的实力。山神说："动物世界中，大象是最强大的，倘若你还想回来，必须战胜大象，否则，你就永远留在动物世界吧。"老鼠答应了山神的条件，并暗自把挑战目标定为了大象。

老鼠一来到动物界，便发觉它对山神的承诺是多么草率，它是那么弱小，丝毫没有对抗大象的力量，但老鼠还是决定尝试一下。它想，我太小了，不可以盲目行动，但我可以乘大象不注意，进到大象鼻子里去，大象不能喘气了，就得请求我饶恕，我就可以强迫它认输。

这天，大象正在吃树叶，老鼠乘机跑进大象的鼻子中，准备实施它的计划。不料，刚进去，大象痒得难受，猛烈地打起了喷嚏，老鼠像子弹一样被射了出来。大象用蔑视的眼光盯着它，愤怒地说："你这个愚蠢的

生词 04-2

*1. 厌倦 yànjuàn v. to be tired of, to be weary of
2. 厌恶 yànwù v. to detest, to loathe
3. 倘若 tǎngruò conj. if, supposing
4. 发觉 fājué v. to find, to realize
5. 承诺 chéngnuò v. to promise
6. 草率 cǎoshuài adj. careless, rash
7. 对抗 duìkàng v. to resist, to oppose
8. 尝试 chángshì v. to try, to attempt
9. 盲目 mángmù adj. blind, aimless
10. 乘 chéng prep. to avail oneself of, to take advantage of
11. 喘气 chuǎn qì v. to breathe deeply, to pant, to gasp
12. 饶恕 ráoshù v. to forgive, to pardon
13. 强迫 qiǎngpò v. to force, to compel
14. 实施 shíshī v. to put into effect, to implement
15. 不料 búliào conj. unexpectedly, to one's surprise
16. 猛烈 měngliè adj. fierce, violent
17. 子弹 zǐdàn n. bullet
18. 蔑视 mièshì v. to despise, to look down upon
19. 眼光 yǎnguāng n. look in one's eyes
20. 盯 dīng v. to fix one's eyes on, to stare at
21. 愤怒 fènnù adj. furious, indignant
22. 愚蠢 yúchǔn adj. stupid, foolish

家伙，太可恶了，下次再耍流氓，我一定踩扁了你。”从此老鼠再也不敢挑战大象了。

那是一个夕阳将落的傍晚，大象不留神落入了打猎者设下的巨网中。它不顾一切地用力挣扎，往外乱窜，想摆脱巨网，可是，它的一切努力都没用。大象又悲伤又害怕，它觉得死亡越来越近了。恰巧，老鼠看到了这一切，它想，大象现在毫无抵抗能力，只要我在它身体的重要部位咬几个洞，它就没命了，我不就战胜大象了吗？然而，看到大象悲惨的样子，老鼠不忍下手，它觉得那样未免太过残忍，良心告诉它，应该救大象，于是，它开始用锋利的牙齿咬缠绕着大象的网和绳子。不知过了多久，老鼠几乎耗费了全部力气，绳子终于被咬断了，巨网出现了一个大缺口，大象猛地一用力，脱离了巨网。

从此，老鼠和大象成了好朋友。

不久，山神找到了老鼠，要它回到自己身边。老鼠说：“这大概不可能了，我无法战胜大象。”山神说：“你化敌为友，创造了举世瞩目的成就，世界上还有比这更完美的胜利吗？”

改编自《参考消息》台湾《智慧小品》

23. 家伙 jiāhuo n. fellow, chap, guy
24. 可恶 kěwù adj. hateful, detestable
25. 耍 shuǎ v. to play, to behave (in an unsavory manner)
26. 流氓 liúmáng n. rogue, hoodlum, hooligan
27. 扁 biǎn adj. flat
28. 夕阳 xīyáng n. setting sun
29. 留神 liú shén v. to be careful, to look out
30. 打猎 dǎ liè v. to hunt, to go hunting
31. 不顾 búgù v. in spite of, regardless of
32. 挣扎 zhēngzhá v. to struggle
33. 窜 cuàn v. to flee, to scurry
34. 摆脱 bǎituō v. to get rid of, to break away from
35. 死亡 sǐwáng v. to die
36. 恰巧 qiàqiǎo adv. by chance
37. 毫无 háo wú not in the least, without
38. 抵抗 dǐkàng v. to resist, to fight against
39. 部位 bùwèi n. (particularly of the human body) part, position
40. 悲惨 bēicǎn adj. miserable, tragic
41. 未免 wèimiǎn adv. rather, a bit too
42. 残忍 cánrěn adj. cruel, ruthless
43. 良心 liángxīn n. conscience
44. 锋利 fēnglì adj. sharp, keen
45. 缠绕 chánrào v. to twine, to wind
46. 耗费 hàofèi v. to use, to consume
47. 缺口 quēkǒu n. gap, breach, crack
48. 举世瞩目 jǔshì zhǔmù to attract worldwide attention, to draw the attention of the world

注释（一） 综合注释

Notes

1 乘机

"乘机"，副词，意思是"利用机会"。例如：

（1）这次出差去北京，我们可以乘机游览一下长城。

（2）这天，大象正在吃树叶，老鼠乘机跑进大象的鼻子中，准备实施它的计划。

（3）因为一些法律法规还不完善，让犯罪分子乘机钻了空子。

● **练一练：** 用"乘机"改写句子

（1）当人抵抗力下降的时候，病毒就会利用这一机会进入人的身体。

______________________________。

（2）节日里，老人们一边品尝美酒，一边唱歌跳舞，青年男女则利用这一机会谈情说爱，寻找自己的伴侣。

______________________________。

（3）对方守门员救球脱手，我们利用这个机会攻入一球。

______________________________。

2 不料

"不料"，连词，意思是"没想到"。前一分句说明预期的情况或想法，后一分句用"不料"表示出现了没有想到的情况，常与"却、竟、竟然、倒、还"等词搭配使用。例如：

（1）我只想和她开个玩笑，不料她却生气了。

（2）我们做好了一切准备，下个星期就去旅行，不料他竟病倒了。

（3）老鼠乘机跑进大象的鼻子中，准备实施它的计划。不料，刚进去，大象痒得难受，猛烈地打起了喷嚏。

● **练一练：** 完成句子

（1）早上天气还是好好的，不料______________。

（2）考试前我准备得特别充分，不料题目太多，______________。

（3）我想在这个公司好好干，不料，刚来一个月，______________。

3 未免

“未免”，副词，表示不以为然，只能说是……。多修饰表消极意义的形容词，用在动词前的情况较少。常与“太、过于、有些、不大”以及数量词“一点儿、一些”等词搭配使用。例如：

（1）他这个人也未免太不会关心人了。

（2）看到大象悲惨的样子，老鼠不忍下手，它觉得那样未免太过残忍。

（3）举办展览的想法是不错，只是现在能够展出的展品未免少了一些。

● **练一练**：用“未免”改写句子

（1）这么小的屋子一个月房租4500，价格太贵了吧？

______________________________。

（2）这篇文章有些长，好好修改一下还是不错的。

______________________________。

（3）现在的规定有点儿太复杂了吧，真应该好好简练一番。

______________________________。

（二）词语辨析

恰巧——正好

	恰巧	正好
共同点	都可以表示时间刚好吻合，某个条件碰巧一致。	
	如：我离开北京那一天，恰巧/正好是他到达北京的日子。	
不同点	1. 副词，侧重指时间、条件，重在偶然凑巧。（可以替换成“正好”）	1. 副词，除了时间、条件以外，还可以指空间、体积、数量等的巧合，重在合宜。
	如：① 我赶到上海找他时，他却恰巧出差了。 ② 我正愁没人帮忙，恰巧老王来了。	如：① 交了房租剩下的钱正好留着交学费。 ② 两个人一间，我们十个人，正好是五个房间。
	2. 只能是副词，不能单说或单独做谓语。	2. 还是形容词，可以单说或单独做谓语。
	如：*我去的时间恰巧。（×）	如：① 你来得正好，我们刚开始吃饭。 ② A：这件衣服你穿怎么样？ B：正好。

● **做一做**：判断正误

❶ 这块布正好够做一件衬衫，一点儿都不浪费。（ ）
❷ 这场雨下得恰巧，及时缓解了土地的干旱问题。（ ）
❸ 朋友来北京看我，可我恰巧没空儿，真遗憾。（ ）
❹ A：你觉得水温怎么样，合适吗？（ ）
B：正好，不冷也不热。

练习 Exercises

1 模仿例子，写出更多的词语

例：毫无：毫不　毫厘　丝毫　分毫

发觉：________

猛烈：________

眼光：________

夕阳：________

2 用所给词语完成句子

❶ 我准备去图书馆好好复习功课，________。（不料）
❷ 普普通通一顿饭花了这么多钱，________。（未免）
❸ 没吃早饭，正饿得不得了时，________。（恰巧）
❹ ________，我将无比感激。（倘若）
❺ 妈妈不在家，孩子________。（乘机）
❻ 经过几十年的改革开放，中国经济________。（举世瞩目）

3 选择合适的词语填空

愤怒　　留神　　摆脱　　对抗　　愚蠢

❶ 《猫和老鼠》是很多小朋友都喜欢看的动画片，它讲了一只聪明的老鼠跟猫______的故事。每次小老鼠都能______猫的追赶，一不______，猫还会上老鼠的当，被老鼠笑话一番，猫虽然很______，却也没有办法。小老鼠用自己的智慧战胜了______的猫。

毫无　　强迫　　倘若　　耗费　　厌恶

❷ 我们的态度会决定做事情的心情。______你对一件事______兴趣，那么有人______你做时，你会觉得痛苦和______。而如果是你感兴趣的事情，无论______多少时间和精力，心里也都是快乐的。

4 阅读语段，模仿造句

❶ 动物世界中，大象是最强大的，倘若你还想回来，必须战胜大象，否则，你就永远留在动物世界吧。

没有人轻轻松松就能取得成功，倘若______________________，必须______________________，否则，______________________。

❷ 它想，大象现在毫无抵抗能力，只要我在它身体的重要部位咬几个洞，它就没命了，我不就战胜大象了吗？然而，看到大象悲惨的样子，老鼠不忍下手，它觉得那样未免太过残忍，良心告诉它，应该救大象。

地上有个很大的钱包，周围也没有别人，只要__________________，钱包就__________________，我不就__________________了吗？然而，想到丢钱包的人着急的样子，我觉得那样做未免太______________________了，良心告诉我，应该把它还给它的主人。

5 根据提示，简述课文主要内容

老鼠想当普通的动物，山神对老鼠提出了什么条件？	❶ 倘若……战胜大象 ❷ 否则……
老鼠的第一次尝试成功了吗？它是怎么做的？	进入大象鼻子、打喷嚏、像子弹一样被射出来
大象的反应是什么？	蔑视、愤怒、愚蠢、可恶、踩扁
当大象落入打猎者的巨网时，老鼠是怎么做的？	❶ 大象（挣扎、窜、摆脱、悲伤、害怕） ❷ 老鼠想（毫无抵抗力、咬几个洞、战胜、不忍下手、太过残忍） ❸ 老鼠（锋利、咬断）
山神为什么说老鼠胜利了？	化敌为友、举世瞩目

运用 Application

写一写

这篇小故事告诉我们一个道理：化敌为友，就是最大的胜利。请参考练习5，把课文缩写成300字左右的短文。缩写时注意写清楚故事发生的起因、经过、结果，最后要点明这个故事告诉我们的道理。

扩展 Expansion

1 词汇：熟悉下列词语的语素义

俯视 —— 俯：低头；视：看

草案 —— 草：初步的；案：记录计划、建议等的文件

偿还 —— 偿：抵偿；还：归还

畅通 —— 畅：没有阻碍；通：通行

敌视 —— 敌：敌人；视：看待

巩固 —— 巩：结实；固：结实

孤立 —— 孤：单独；立：站

雇佣 —— 雇：出钱让别人给自己做事；佣：雇佣

过奖 —— 过：过分；奖：勉励

解雇 —— 解：废除；雇：出钱让别人给自己做事

捍卫 —— 捍：保卫；卫：保卫

表态 —— 表：表示；态：态度

2 熟悉下列量词

磅：一磅黄油、一磅蛋糕

筐：一筐蔬菜、一筐水果

艘：一艘轮船、一艘军舰

丸：一丸药

Unit 2

不甘平庸

Unwilling to be mediocre

5 学一门外语需要理由吗

Do we need a reason to learn a foreign language

热身 Warm-up

1 你为什么学习汉语？请从下面的选项中找出答案，如果都不是你的答案，请在横线上补充说明。

◎为了找工作

◎大学的专业是中文

◎为了在中国旅行

◎我有中国朋友

◎对汉语感兴趣

◎为了显得很酷

其他原因：____

____

2 想一想下列词语之间有什么联系。

原	原文、原来、原先、原地、原因、原有、原价、原版、原始、原形、原状、原意
员	学员、服务员、售货员、售票员、演员、人员、职员、运动员、店员、船员、员工
力	动力、精力、能力、压力、财力、脑力、体力、听力、努力、尽力、出力、用力、力气、力量
久	持久、悠久、不久、长久、多久、好久、许久、永久、久远、久别、日久天长

课文 Text 学一门外语需要理由吗（832字） 05-1

我想学一门外语，迫不及待地想不再依靠翻译，独自阅读原文，哪怕是借助字典勉强查阅呢。我很快找到了一家语言学习机构，它在离我家不远的一栋办公楼上。这天我兴致勃勃地专程前去咨询。

进了门，一位很有修养的女士迎上来，我以为交了学费就能开始快乐而美好的学习了，不料首先面对的是她接连不断的发问："为什么要学外语？最近有出国计划吗？职业是什么？"

"这很重要吗？"说实在的，她的问题涉及了我的隐私，我很反感，话也变得火药味十足。

她极力忍耐着，"是这样，我必须了解学员，为学员着想，帮他策划学习方案，以达成他的目标。"

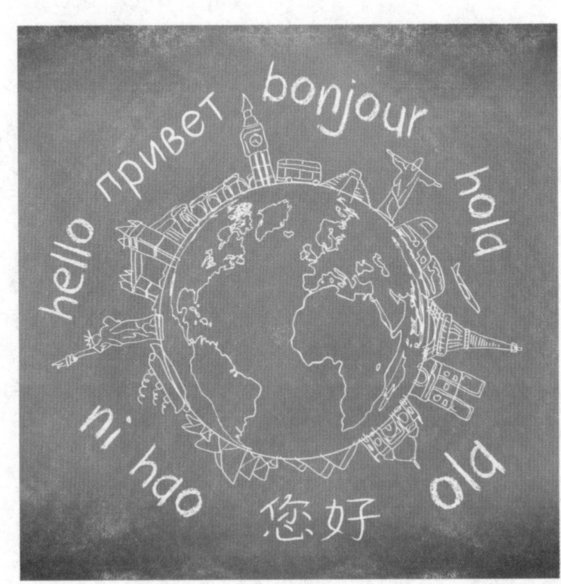

生词 05-2

1. 迫不及待 pòbùjídài too impatient to wait, itching to do sth.
2. 依靠 yīkào v. to rely on, to depend on
3. 借助 jièzhù v. to have the aid of, to draw support from
4. 勉强 miǎnqiǎng adj. to manage with an effort, to do with difficulty
5. 机构 jīgòu n. organization, institution
6. 栋 dòng m. *used for buildings*
7. 兴致勃勃 xìngzhì bóbó full of enthusiasm, in high spirits
8. 专程 zhuānchéng adv. special trip
9. 修养 xiūyǎng n. self-cultivation
10. 接连 jiēlián adv. in a row, in succession
11. 涉及 shèjí v. to involve, to relate to
12. 隐私 yǐnsī n. privacy
13. 反感 fǎngǎn adj. disgusted
14. 火药 huǒyào n. gunpowder
15. 忍耐 rěnnài v. to restrain oneself, to exercise patience
16. 着想 zhuóxiǎng v. to consider, to think about
17. 策划 cèhuà v. to plan, to scheme
18. 达成 dáchéng v. to reach, to achieve

我努力使自己的口气缓和下来："我没什么具体目标。就是找一个班插班听课，随意学学而已。"

"可是，我们的班都是根据学员的具体情况设置的，如果您没有具体目标，是学不好一种语言的。"

没有目标就缺乏动力，这道理我固然懂，可是，我的确说不出她所说的目标。我说我回去想想。

"您等一下。"她迅速出门，瞬间换来了一位男士。"您学这门语言是为了……"他态度和蔼，真诚恳切，我被打动了，跟他滔滔不绝起来："我喜欢这个国家的文化，学习语言无非是为了看原文电影、读文学作品……"

"明白了。不想通过翻译，直接进入原文的世界？"

"对！"我欢天喜地，终于碰上了知音。

"我碰到过您这样的客户，可是，光凭兴趣，恐怕难以持久。"我顿时崩溃了，怎么说着说着又绕回来了。

我果断地站起来，斩钉截铁地表明要走。

回家后，我不死心，开始在网上找在线学习。后来发现有一家，还真不错，从基础教起，每个句子的语法都详细讲解，不留死角，和我的思维很搭。更重要的是心里舒服——没

19. 口气 kǒuqì n. manner of speaking, way of speaking
20. 缓和 huǎnhé adj. eased, alleviated, softened
21. 随意 suíyì adj. freely, at will
22. 而已 éryǐ part. nothing more, only
23. 设置 shèzhì v. to set up, to establish
24. 动力 dònglì n. motivation, impetus
25. 固然 gùrán conj. admittedly, it is true
26. 恳切 kěnqiè adj. sincere, earnest
27. 无非 wúfēi adv. nothing but, no more than
*28. 知音 zhīyīn n. person who is deeply appreciative of sb.'s talents, bosom friend
29. 客户 kèhù n. customer, client
30. 持久 chíjiǔ adj. lasting, enduring
31. 崩溃 bēngkuì v. to collapse, to fall apart
32. 果断 guǒduàn adj. resolute, decisive
33. 斩钉截铁 zhǎndīng-jiétiě firm and decisive
34. 思维 sīwéi n. thought, thinking
35. 搭 dā v. to match, to go with

有人硬逼着我执行学习计划，也没人问我为啥要学它，以及我的单位、身份，包括薪水——我就是个语言学习者，你管我这些干吗？

我的学习方式绝对对学习效果有利，当然弊端也不少：有利的方面如上所说，弊端在于高兴了拼命学一阵子，不高兴了就搁在一边。有时还前后颠倒，因为后面那课的话题太诱惑我了。但是，利弊权衡，利还是大于弊。因为我总能在忘我的快乐中，津津有味地享受学习。

改编自《北京青年报》同名文章，作者：孙小宁

36. 执行 zhíxíng v. to carry out, to implement
37. 啥 shá pron. what
38. 薪水 xīnshui n. salary, pay
39. 弊端 bìduān n. disadvantage, drawback
40. 拼命 pīnmìng adv. exerting one's utmost, desperately
41. 搁 gē v. to put, to place
42. 颠倒 diāndǎo v. to invert, to reverse
43. 权衡 quánhéng v. to balance, to weigh
44. 津津有味 jīnjīn yǒu wèi with relish, with keen pleasure

注释（一）综合注释

Notes 1 而已

“而已”，助词，用在陈述句的末尾，有把事情往小里、轻里说的意味，常与“不过、只、只是、仅”等词配合使用。也说“罢了、就是了”。例如：

（1）你怎么做的，谁心里都明白，大家不过嘴上说说而已。

（2）他的工作是警察，写小说仅仅是他的业余爱好而已。

（3）我没什么具体目标。就是找一个班插班听课，随意学学而已。

● **练一练**：用“而已”改写句子

（1）他心中的家乡“美食”，在大多数人眼里，是再大众不过的食品了。

____________________。

（2）谁都不想做饭，到外面吃去吧，不就是多花点儿钱吗！

____________________。

（3）我仅仅是举个例子，类似的情况还有很多。

____________________。

2 固然

“固然”，连词，表示确认某一事实。用在前一分句。

①下文转折，提出对立的另一事实。后一分句中常有“可是、但是、却、然而”等词配合。例如：

（1）没有目标就缺乏动力，这道理我固然懂，可是，我的确说不出她所说的目标。

（2）这么做，好固然是好，可是又费时间，成本又高，肯定不行。

②下文顺接，提出也应承认的另一事实，转折意味较轻，重在突出后一小句，多与“也”配合，有时也用“但是、可是”等。例如：

（1）考上大学固然好，没考上大学也不是就没有出路了。

（2）上世纪末兴起的积极心理学运动，固然有心理学自身发展要求的原因，另一方面也是时代发展的必然。

● **练一练**：完成句子

（1）搬家以后新家离单位固然是远了许多，可是________。

（2）谁有意见大胆地提，说得对，固然好，说错了，________。

（3）屋里挂张画儿固然不错，可并________，要是一点儿美感都没有的画，不挂也罢。

3 无非

“无非”，副词，表示不会超过某个范围，意思是“只、不过”。有把事情往小里、轻里说的意味。例如：

（1）他这么努力地工作，无非想多挣些钱，让妻子、孩子生活得更舒适。

（2）我喜欢这个国家的文化，学习语言无非是为了看原文电影、读文学作品……

（3）我们把汉语口语称作“说的汉语”，把汉语书面语称作“看的汉语”，无非是强调汉语两种不同的语言形式具有不同的特性和使用场合。

● **练一练**：用"无非"改写句子

（1）父母们在一起也实在没什么好谈的，就是孩子的成长、教育问题。

____。

（2）他的菜谱特别单调，只有西红柿炒鸡蛋，偶尔还可能有黄瓜炒鸡蛋。

____。

（3）人类的穿戴只不过十几年、几十年为一周期地来回换，来回时髦。

____。

（二）词语辨析

专程——专门

	专程	专门
共同点	都表示特地去做某事。	
	如：这次到上海来，我是专程/专门来看你的。	
不同点	1. 副词，只用于需要一段路程的行动，强调态度郑重认真。	1. 副词，除了用于表示行程的动作外，还可以用于其他方面的行动。
	如：他专程来机场送你。	如：这个礼物是专门给你买的，不知道你喜欢不喜欢。
	2. 没有右边这个意思。	2. 副词，表示动作仅限于某个范围。
		如：这次会议专门讨论了公司的人事问题。
	3. 没有右边这个用法。	3. 还有形容词用法，表示专从事某事或研究某学问，可用在名词前。
		如：他们都是电脑方面的专门人才。

● **做一做**：判断正误

❶ 他专程研究中国文学，发表了一些这方面的论文。（ ）
❷ 他们为国家培养了很多相关学科的专门人才。（ ）
❸ 今天是我的生日，妈妈专程做了我喜欢吃的饭菜。（ ）
❹ 昨天同事们专门举行了一个晚会欢迎我。（ ）

练习 Exercises

1 模仿例子，写出更多的词语

例：拼命：救命　生命　寿命　命运

忍耐：________

缓和：________

客户：________

思维：________

2 用所给词语或结构改写句子

❶ 为孩子的未来考虑，家长应该培养孩子独立的能力。（为……着想）

________。

❷ 商店增加了很多手推车，是为了便于顾客购物。（以）

________。

❸ 他只不过是不小心碰了你一下，你干吗生那么大的气啊？（无非）

________。

❹ 他并不比别人聪明，只是比别人更努力一些。（而已）

________。

❺ 这个方法好是好，可实施起来太难了。（固然）

________。

❻ 周末去郊外玩儿，走了一段时间后，我发现自己迷路了。（……着……着）

________。

3 选择合适的词语填空

兴致勃勃　　迫不及待　　啥　　接连　　栋

❶ 朋友邀请我参加他们的新年晚会，他住在离我家不远的一________居民楼上。我________地前去参加。晚会上惊喜________不断，不但有好吃的、好喝的，朋友还为每位客人准备了一份礼物。我很想知道里边是________东西，就________地打开包装，原来是我最喜欢吃的巧克力，晚会结束后，大家都高高兴兴地拿着礼物回家了。

依靠　　动力　　设置　　持久　　执行

❷ 学习一门外语，光________热情是远远不够的，那样的话，恐怕难以________。我们还应该根据自身的情况________短期和长期的学习目标，制订详细的学习计划，有了目标就有了学习的________。短期目标帮助我们一步一步逐渐提高，同时又不觉得太过吃力；长期目标给我们指明了方向。最后，严格________学习计划也是非常重要的。

4 阅读语段，模仿造句

❶ 她极力忍耐着，"是这样，我必须了解学员，为学员着想，帮他策划学习方案，以达成他的目标。"

球队教练说："我必须________，为________着想，帮________，以________。"

❷ 我的学习方式绝对对学习效果有利，当然弊端也不少：有利的方面如上所说，弊端在于高兴了拼命学一阵子，不高兴了就搁在一边。

那个人绝对是个很好的人，当然________也不少，好的方面是________，缺点在于________。

5 根据提示，简述课文主要内容

“我”学习外语的原因是：	❶ 喜欢…… ❷ 不依靠……，看……，阅读……
那家机构认为学习外语必须有什么？	具体目标，比如：出国、职业……
最后“我”选择了什么方式学习，为什么？	❶ 在线…… ❷ 教学方法：…… ❸ 没有人硬逼着我…… ❹ 没有人问我……
“我”的学习方式的利弊是：	❶ 利：…… ❷ 弊：……

运用 Application

写一写

请对3～4个不同年龄、不同国家、不同职业的对象进行调查，主题是调查“你为什么学习外语”，将调查内容填入表中，课上向同学汇报，同时将调查内容写成一篇不少于300字的调查报告。

国家	年龄	职业	学习外语的原因	现在的学习方式（利与弊）

扩展 Expansion 1 病句类型：成分残缺

“成分残缺”指句中省略了不应省略的部分，致使句子结构不完整，影响了表意的准确性。例如：

序号	病句	分析
1	*他向国家捐献出了一张祖传的字画，具有极高的研究、保存价值。	主语残缺。前一分句的主语是“他”，后一分句的主语是“字画”，暗中更换了主语，致使后一句缺少了主语，应改为“这张字画具有极高的研究、保存价值”。
2	*我们已办理了婚姻登记手续，我们真的夫妻了。	谓语残缺。后半句缺少谓语动词“是”，应改为“我们真的是夫妻了”或者“我们是真的夫妻了”。
3	*我们将提前做好各项筹备工作，最终实现举办一届“有特色、高水平”奥运会。	宾语残缺。因为宾语前有较长的定语，误把宾语前定语中的某一部分词语当作了宾语，没有写出句子真正的宾语。后半句应改为“最终实现举办一届‘有特色、高水平’奥运会的目标”。
4	*我读杂志的时候，看一张广告，有话剧，我决定买两张票。	补语残缺。“看”后缺少结果补语，应改为“看到一张广告”。
5	*就算肉再好吃，你也不准吃太多，以后更胖了。	关联词语残缺。根据句意，应在表示结果的小句前加“不然”，变为“不然以后更胖了”。

● **练一练**：指出下列句子的错误，并提出修改建议

1. 为了写好汉字，他每天抄写一篇短文，养成了书写规范、端正、整洁。
2. 他边走边想，非常投入，突然路旁的河里有人喊“救命！”
3. 他的习惯是一边吃早饭，一边看报纸，对身体不好。

❹ 经过专家组分析论证，排除了人为破坏因素导致事故发生的可能性。

❺ 我觉得她好棒啊，居然把一件旧牛仔裤改造了一个洋气又实用的背包。

2 词汇：熟悉下列近义词

安详 —— 祥和

报仇 —— 复仇

报答 —— 回报

弊病 —— 弊端

采纳 —— 采用

参照 —— 参考

操练 —— 训练

充沛 —— 充足

代理 —— 代办

丰盛 —— 丰富

抚养 —— 养活

更正 —— 改正

供给 —— 供应

宏伟 —— 雄伟

混合 —— 掺杂

加剧 —— 加重

6 当好职场插班生

Be a good transfer student in a workplace

热身 Warm-up

1 当你到了一个新环境时（比如转学到一个新的班级、刚加入一个新的球队或团体、第一天工作等等），曾经受到热情欢迎还是冷淡对待？具体说一说你当时的感受。

2 想一想下列词语之间有什么联系。

手	老手、新手、对手、帮手、高手、巧手、人手、生手、歌手、好手、快手、能手、多面手
色	脸色、面色、气色、神色、喜色、眼色、变色、不动声色、大惊失色、眉飞色舞
化	边缘化、丑化、美化、弱化、淡化、强化、软化、硬化、绿化、多样化、大众化、现代化
式	旧式、老式、新式、中式、西式、欧式、美式、飞跃式、花园式、家庭式

课文 Text 当好职场插班生（785字） 06-1

这天是我到这家公司上任的第一天，我的职位是咨询师。早就听说这里老手多、新手少，不少资深员工在公司创立之初就开始在这里工作了。

清早上班，和新同事一一认识后，我以为一天的工作就此开始，没想到赵姐工作的第一件事是忙着沏茶和咖啡，给张哥端一碗，给孙姐送一杯……我想这单位风气真好，明天这事我来做。正想着，赵姐已经坐在那儿开始自己享受，唯独剩下我和我的搭档——与我同一天就职的小林。顿时小林的脸色变了，我也有被边缘化的感觉，不过我还是向小林使了个眼色。屋子里鸦雀无声，第一天就这样开始了。

我和小林的业务很难做，件件都让人头痛，有时候还完不成指标，可别人的工作很快就完了，几乎成天聊天儿、上网、吹牛，还有人溜出去逛街。我和小林虽然是新来的，可我们之前在别的公司也是好手呀。

后来我发现，领导分配业务时，总是让资深员工先挑，他们挑剩下的才是我和小林的。我们的工作从难度上讲，和他们根本就不是一个等级。小林要去找领导讨公道："哼，太不像话了，明明是在欺负人，大不了辞职。"我也觉得不像话，可静下来，也觉得没什么不好，应该说这反而是我们可以展示自己才干的好机会。

生词 06-2

1. 上任 shàng rèn v. to take office
2. 职位 zhíwèi n. position, post
3. 资深 zīshēn adj. senior, veteran
4. 创立 chuànglì v. to found, to set up
*5. 沏 qī v. to infuse, to make (tea, coffee, etc.)
6. 风气 fēngqì n. general mood, atmosphere
7. 唯独 wéidú adv. only, alone
8. 搭档 dādàng n. partner
9. 就职 jiù zhí v. to assume office
10. 边缘 biānyuán n. edge, verge, margin
11. 眼色 yǎnsè n. meaningful glance, wink
12. 指标 zhǐbiāo n. target, norm, index
13. 成天 chéngtiān adv. all day long, all the time
14. 吹牛 chuī niú v. to boast, to brag
15. 溜 liū v. to sneak off, to slip away
16. 等级 děngjí n. level, rank
17. 公道 gōngdao n. fairness, justice
18. 哼 hng int. snort, groan
19. 不像话 búxiànghuà adj. unreasonable, absurd
20. 明明 míngmíng adv. obviously, undoubtedly
21. 欺负 qīfu v. to bully
22. 大不了 dàbuliǎo adv. at the worst
23. 展示 zhǎnshì v. to show, to display
24. 才干 cáigàn n. talent, ability

我和小林决定不和他们计较，全力以赴投入工作，不怠慢、不敷衍每一位客户，想方设法做好每一单业务，多忙都不凑合。

忙碌中，时光过得飞快，我们的业务能力得到了飞跃式的提高，点名找我们的客户越来越多。有时领导会说，服务对象对张哥不满意，活儿你们接手吧；客户投诉赵姐了，你们处理一下吧。我们每天都充满激情地工作，享受着工作的快乐。年度考核，我和小林的敬业精神、兢兢业业的工作态度受到了表扬，经济上也得到了丰厚的回报。当初对我们不友好的资深前辈们也变得热情起来。再后来，公司来了新人，领导让我带他们，我把工作经验和技巧传授给他们，毫无保留。

其实，进入新单位，作为一个职场插班生，这个过程，正是展示你人格魅力的时候，遇到困难，也是你施展才能的时机。

改编自《北京青年报》同名文章，作者：苏小妮

25. 计较 jìjiào v. to keep account of
26. 全力以赴 quánlìyǐfù to go all out, to spare no effort
27. 怠慢 dàimàn v. to slight, to cold-shoulder
28. 敷衍 fūyǎn v. to be perfunctory, to slight over
29. 想方设法 xiǎngfāng-shèfǎ to try every means, to do everything possible
30. 凑合 còuhe v. to make do, to do sth. half-heartedly
31. 忙碌 mánglù adj. busy
32. 时光 shíguāng n. time
33. 飞跃 fēiyuè v. to leap
34. 投诉 tóusù v. to complain
35. 激情 jīqíng n. passion
36. 年度 niándù n. year
37. 考核 kǎohé v. to check, to evaluate sb's performance
38. 敬业 jìngyè v. to dedicate oneself to work
39. 兢兢业业 jīngjīngyèyè adj. cautious and conscientious
40. 回报 huíbào v. to repay, to reciprocate
41. 当初 dāngchū n. at the beginning, originally
42. 技巧 jìqiǎo n. skill, technique
43. 传授 chuánshòu v. to teach, to impart
44. 人格 réngé n. personality, moral quality
45. 施展 shīzhǎn v. to put to good use, to give full play to
46. 时机 shíjī n. opportunity

注释（一）综合注释

Notes

1 唯独

“唯独”，副词，意思是“只是、单单”。上文多有与之对比的内容。例如：

（1）那次旅行大家都去了，唯独你没有去成。

（2）中国的传统节日都是喜气洋洋的，唯独清明节，庄严而伤感。

（3）正想着，赵姐已经坐在那儿开始自己享受，唯独剩下我和我的搭档——与我同一天就职的小林。

● **练一练**：用“唯独”完成句子

（1）我上学的时候，哪门功课都好，＿＿＿＿＿＿＿＿＿＿。

（2）说理、鼓励、引导、表扬，什么样的教育方式都可以尝试，＿＿＿＿＿＿＿＿＿＿＿＿＿＿＿＿＿＿＿＿。

（3）他对什么都不在意，＿＿＿＿＿＿＿＿＿＿，他格外用心。

2 明明

“明明”，副词，表示很明显，情况就是这样。用“明明”的小句前或后常有反问或表示转折的小句。多用于口语。例如：

（1）你唱的明明是流行歌曲，哪里是京剧啊？

（2）明明是你把书弄丢了，还说不知道，真不像话！

（3）哼，太不像话了，明明是在欺负人。

● **练一练**：用“明明”完成句子

（1）＿＿＿＿＿＿＿＿＿＿＿＿，却不承认，真不讲理！

（2）你＿＿＿＿＿＿＿＿＿＿＿＿，这样做不对，为什么还要坚持呢？

（3）＿＿＿＿＿＿＿＿＿＿＿＿＿＿，怎么非说没看见？

3 大不了

“大不了”，副词，意思是“最坏也不过”。表示虽然出现了困难，但最终是可以解决的。用于口语。例如：

（1）小林要去找领导讨公道：“哼，太不像话了，明明是在欺负人，大不了辞职。”

（2）失败了不要紧，大不了从头再来。

（3）别难过了，不就是衣服丢了吗，大不了再买一件。

● **练一练**：用“大不了”改写句子

（1）坐错车没关系，最多就是坐回去。

______________________________。

（2）别难过了，不过就是画儿湿了，我再给你画一张就完了。

______________________________。

（3）少一个座位？没关系，最多就是少去一个人。

______________________________。

（二）词语辨析

创立——创办

	创立	创办
共同点	都是动词，都有初次、开始做的意思。	
	如：这所女子职业学校于1985年创立/创办。	
不同点	1. 侧重于“开创、成立”的意思。	1. 侧重于“创设、经营”的意思。
	如：这个组织创立于1942年。	如：他们几个人一起创办了一家民营企业。
	2. 可以用于政党、国家或学说、理论等。	2. 不能用于政党、国家、学说、理论等。
	如：① 这个政党刚创立时，参加人员并不多。 ② 创立一个新的学术体系是个复杂的过程。	

● **做一做**：选择“创立”或“创办”填空

1. 他们夫妻俩一手______起这家汽车修理厂。
2. 这个学说______于18世纪中期，开始时遭到许多质疑。
3. 近年来，一些地方相继______了各种以营利为目的的服务中心。
4. 新理论______初期，遇到很多困难和挑战。

练习 Exercises

1 模仿例子，写出更多的词语

例：就职：辞职　兼职　职业　职务

职位：______

唯独：______

才干：______

敬业：______

2 用所给词语完成句子

1. 别的事还可以放一放，______。（唯独）
2. 爸爸______，从来没有闲下来的时候。（成天）
3. 失业了也没什么，______。（大不了）
4. 我的笔______，怎么一转眼不见了呢？（明明）
5. 没有床，只有一张沙发，你______。（凑合）
6. 每当我遇到困难时，他______。（想方设法）

3 选择合适的词语填空

计较　　搭档　　风气　　资深　　创立

1 上个星期，我加入了学校篮球队，跟球队的______们一一认识之后，我的训练生活就此开始。张教练在球队______之初就在这儿了，他是一位富有经验的______篮球教练。我们球队的______非常好，大家互相帮助，训练刻苦认真，没人喊累，没人抱怨，训练中受点儿伤也都不______，我很喜欢这个集体。

激情　　全力以赴　　想方设法　　忙碌　　凑合

2 同事小张非常敬业，他对待工作充满______，总是______出色完成每一项任务，从来不______。最近，他接到一个新任务，为一个新项目做前期准备。小张带领他们部门的员工______投入工作，虽然很______，却享受到了工作的快乐。

4 阅读语段，模仿造句

1 清早上班，和新同事一一认识后，我以为一天的工作就此开始，没想到赵姐工作的第一件事是忙着沏茶和咖啡，给张哥端一碗，给孙姐送一杯……我想这单位风气真好，明天这事我来做。

今天在办公室，我怎么也找不到自己的手机了，我以为______________________，没想到______________，我想______________________。

2 其实，进入新单位，作为一个职场插班生，这个过程，正是展示你人格魅力的时候，遇到困难，也是你施展才能的时机。

其实，进入__________，作为____________，这个过程，正是____________的时候，遇到__________，也是____________的时机。

5 根据提示，简述课文主要内容

说说“我”在这家公司的职位以及公司的人员构成情况。	咨询师、老手、新手、资深员工
上班第一天，其他老员工对“我”和小林的态度如何？	❶ 给……沏茶/咖啡 ❷ 唯独剩下 ❸ 边缘化
“我”和小林在公司的工作与别人有何不同？为什么？	❶ “我”和小林的业务……，件件……，有时候…… ❷ 别人的工作……，成天……，还有人…… ❸ 我发现，领导分配业务时，……
“我”和小林如何对待自己的工作？	不计较、全力以赴、不怠慢、不敷衍、想方设法、不凑合
“我们”在公司的处境有了什么变化？	❶ 业务能力…… ❷ 客户…… ❸ 接手…… ❹ 年度考核…… ❺ ……热情起来 ❻ 新人……
通过“职场插班生”的经历，“我”有什么收获？	❶ 展示……魅力 ❷ 施展才能

运用 Application

写一写

这篇课文通过“我”进入职场初期的经历，告诉我们在刚进入职场时可能会遇到一些不公平的对待，可是如果我们不放弃，坚持努力，一定会得到大家的认可。你在进入一个新的团体时（比如：公司、球队、班级、乐队等等），是否也遇到过类似的情况，你是怎样做的？最后的结果如何？参考课文以“初入……”为题，写一篇300字左右的短文。

扩展 Expansion

词汇：熟悉下列词语搭配

词汇	搭配	例句
性感	身材性感	她是一位性感明星。
澄清	澄清事实	他决心一定要澄清事情的真相。
奠定	奠定基础	他数年来的刻苦训练为赢得今天的大赛奠定了基础。
动机	没有动机/动机不纯	即便动机是好的，如果方法不对，也会把事情办坏。
断绝	断绝来往	和他那样的人断绝往来绝对是明智的。
见闻	旅游见闻/增长见闻	旅游不光使我们增长见闻，还能让我们认识更多的朋友。
章程	公司章程	员工们都应该熟悉本公司的章程。
周年	结婚周年/周年庆典	明天是我们公司成立十周年庆典。
起草	起草文件	我起草了一个俱乐部章程，你再修改一下。
无赖	耍无赖	谁都不喜欢毫不讲理的无赖。
暧昧	态度暧昧/关系暧昧	你有没有发现，咱们办公室的小王和小李关系有点儿暧昧。
后顾之忧		只有不断完善社会保障制度，才能让人民生活没有后顾之忧。

7 我的人生我做主

I'm the master of my own life

热身 Warm-up

1 当你在为一件事情犹豫不决时，有的人却能很快就做出正确的决定。这种做决定的能力是怎么得来的呢？请在下列选项中选出你认为正确的答案，或者在横线上做出补充。

◎生下来就有的　　◎通过不断实践得到的

◎在学校里学习的　　◎在不断失败中学习到的

◎在不确定中提升了决策能力　　◎性格不同造成的

补充：________________________________

2 想一想下列词语之间有什么联系。

做	做主、做伴、做客、做官、做人、做东、做演员
观	悲观、乐观、主观、客观、人生观、世界观、历史观、观点、观念
悔	悔恨、悔改、悔过、悔婚、悔不当初、悔过自新、反悔、后悔、追悔
于	勇于、急于、长于、乐于、苦于、难于、善于、安于、敢于、属于、在于

课文 Text 我的人生我做主（739字） 07-1

最近，小王正为工作的事伤脑筋。毕业于3年前的他，一直做会计，成天和数字打交道，枯燥而且压力大，他做梦都想换一份工作。小王对艺术、心理学都感兴趣，觉得当老师也不错，可他不确定自己真正擅长什么，怕万一选错了，要付出很大的时间成本和经济成本，为此他变得急躁、紧张、顾虑重重。

心理专家认为，对自己缺乏信心，对未来过度悲观致使小王出现以上现象。悲观主要包括：我不敢想最坏的结果是什么；我无法承受这个结果；一旦选错，终身悔恨，甚至会觉得人生都没有希望了。其实，类似小王这样的年轻人并非少数，不知道小王们是否读过下面这段对话：

生词 07-2

1. 做主 zuò zhǔ v. to decide, to make one's own decisions
2. 伤脑筋 shāng nǎojīn to cause sb. enough headache, to bother
3. 枯燥 kūzào adj. dull, uninteresting
4. 擅长 shàncháng v. to be good at, to be expert in
5. 成本 chéngběn n. cost
6. 急躁 jízào adj. irritable, hot-tempered, impatient
7. 顾虑 gùlǜ n. misgiving, worry
8. 过度 guòdù adj. excessive, inordinate
9. 致使 zhìshǐ v./conj. to cause, to lead to
10. 终身 zhōngshēn n. lifetime, all one's life
11. 悔恨 huǐhèn v. to deeply regret, to be filled with remorse
12. 类似 lèisì v. to be similar
13. 并非 bìngfēi v. not to be

年轻人：你的智慧从哪里来？

乔布斯：来自精确的判断力。

年轻人：精确的判断力从哪里来？

乔布斯：来自经验的积累。

年轻人：那你的经验又从哪里来？

乔布斯：来自无数错误的判断。

做决定是一种能力，而能力不是天生的，是通过实践和挫折得来的，在这个过程中，人同时具有了坚定的意志力和敏锐的判断力，不畏惧付出和失败，勇于承担责任，这就是成长。

事实上，伴随着经济全球化，生活中的不确定因素日益增多。昔日风光无限的世界一流企业也会亏损，也会倒闭；一次金融危机，就会使一些连年盈利、运行很好的企业不得不裁员。这意味着，原本英明的决定今天看来可能并非如此了。

14. 精确 jīngquè adj. accurate, precise, exact
15. 天生 tiānshēng adj. inborn, innate
16. 挫折 cuòzhé v. setback, defeat
17. 意志 yìzhì n. will, willpower
18. 敏锐 mǐnruì adj. sharp, acute, keen
19. 畏惧 wèijù v. to fear, to dread
20. 勇于 yǒngyú v. to be brave in, to have the courage to
21. 伴随 bànsuí v. to accompany, to follow
22. 日益 rìyì adv. day by day, increasingly
23. 昔日 xīrì n. bygone days, former times
24. 风光 fēngguāng adj. grand, impressive
25. 亏损 kuīsǔn v. to suffer losses, to be in deficit
26. 倒闭 dǎobì v. to go bankrupt, to close down
27. 金融 jīnróng n. finance, banking
28. 危机 wēijī n. crisis
29. 盈利 yínglì v. to make a profit
30. 运行 yùnxíng v. to run, to operate, to be in motion
31. 裁员 cáiyuán v. to lay off employees, to downsize
32. 意味着 yìwèizhe v. to mean, to imply
33. 英明 yīngmíng adj. wise, brilliant

依我看，无论你怎么选择，都不太可能选一份称心如意的工作安安稳稳一辈子，由于经济环境的不确定，企业的寿命越来越短，现在，人们要经历更多次的职业选择。除此以外，由于人们争先恐后报考热门专业，以致人才饱和，就业困难。而一些新职业的出现，需要新型人才的加入，谁能够及早抓住机会，谁就赢得了机遇。

不要怕犯错，不要害怕走弯路，犯些小错并非坏事，它会增加我们的心灵免疫力。不确定中充满成长的机会，只有不断提升自己的决策能力，才能真正为自己的人生做主。

改编自《北京青年报》文章《如何远离职场选择焦虑症》，作者：新精英生涯规划师

34. 称心如意 chènxīn-rúyì after one's own heart, to one's heart's desire
35. 除 chú prep. besides, in addition to
36. 争先恐后 zhēngxiān-kǒnghòu to strive to be the first, to vie with each other for the lead
37. 热门 rèmén n. in hot demand, popular
38. 以致 yǐzhì conj. consequently, as a result
39. 饱和 bǎohé v. to be saturated, to be filled
40. 就业 jiù yè v. to find employment, to get a job
41. 及早 jízǎo adv. as soon as possible, before it is too late
42. 机遇 jīyù n. opportunity, luck
43. 心灵 xīnlíng n. heart, soul
44. 免疫 miǎnyì v. to be immune
45. 决策 juécè v. to make a strategic decision

注释（一）综合注释

Notes 1 于

“于”，介词。用于书面。

① 表示时间、处所，意思相当于“在”。例如：

（1）毕业于3年前的他，一直做会计，成天和数字打交道，枯燥而且压力大。

（2）著名的西湖龙井茶产于浙江省的西湖一带。

② 表示方面、原因、目的。例如：

（1）我一直想和他一起去旅行，只是苦于没有时间。

（2）做决定是一种能力，而能力不是天生的，是通过实践和挫折得来的，在这个过程中，人同时具有了坚定的意志力和敏锐的判断力，不畏惧付出和失败，勇于承担责任，这就是成长。

● **练一练：** 给“于”选择适当的位置。

（1）我已经A开始B写论文了，C最近正忙D收集资料。（　　）

（2）A那时候，人们苦B长期C战乱，渴望D政治统一。（　　）

（3）A第三届茅盾文学奖B获奖小说C《平凡的世界》出版D 1986年。（　　）

2 致使

①“致使”，动词，表示由于某种原因而使得。例如：

（1）他的粗心致使试验失败。

（2）对自己缺乏信心，对未来过度悲观致使小王出现以上现象。

②“致使”，也可以是连词，用在后一分句的开头，表示由上文所说的原因而造成的结果。结果多为负面的或说话人不希望的。例如：

（3）因为人类对木材的需求与日俱增，致使森林面积大幅度减少。

（4）由于新产品研发能力有限，致使企业逐渐失去竞争力。

● **练一练：** 完成句子。

（1）暖冬致使流感病人＿＿＿＿＿＿＿＿＿＿＿＿＿＿＿＿。

（2）由于连日暴风雪，致使＿＿＿＿＿＿＿＿＿＿＿＿，几千名乘客滞留机场。

（3）由于经营管理不善，致使＿＿＿＿＿＿＿＿＿＿＿＿＿＿。

3 并非

“并非”，动词，意思是“并不是”。“并”在否定词“非”的前面，加强了否定的语气。例如：

（1）类似小王这样的年轻人并非少数。

（2）昔日风光无限的世界一流企业也会亏损，也会倒闭；一次金融危机，就会使一些连年盈利、运行很好的企业不得不裁员。这意味着，原本英明的决定今天看来可能并非如此了。

（3）不要怕犯错，不要害怕走弯路，犯些小错并非坏事，它会增加我们的心灵免疫力。

● **练一练：** 用“并非”完成句子

（1）城里人心里的农村特别美，而农民眼中的农村却____________。

（2）原本以为他结婚了，就会安心过日子，可事实并非____________，他还像个孩子似的，天天心里想的就是玩儿。

（3）你以为我只是教训你吗？其实______________，我是希望你______________。

（二）词语辨析

日益——越来越

	日益	越来越
共同点	都表示程度随着时间发展，一天比一天更。	
	如：建立外交关系后，两国的往来日益/越来越密切。	
不同点	1.“日益”后面可带双音节动词，不能带单音节动词。	1.“越来越”后面可带的动词很少，大多是心理动词，如“喜欢、想、希望、盼望”等。
	如：改革开放后，人们的生活状况日益改善。	如：①我越来越喜欢周末去郊区玩儿了。（√） ②人们的生活状况越来越改善。（×）
	2.“日益”后面可带双音节形容词，不能带单音节形容词。	2.“越来越”后面可带任何音节的形容词。
	如：①最近几十年，人口问题日益严重。（√） ②我的汉语水平日益高了。（×）	如：①天气越来越寒冷了。 ②天气越来越冷了。

● **做一做：** 判断正误

❶ 城乡人民的消费水平日益提高，消费结构也发生了变化。（　　）

❷ 大家普遍认为市场上销售的产品种类越来越增加了。（　　）

❸ 最近的一项调查显示世界各国的经济形势日益好了。（　　）

❹ 受中国朋友的影响，我越来越喜欢东方文化了。（　　）

练习 Exercises

1 模仿例子，写出更多的词语

例：热门：冷门　专门　部门　门类

伤脑筋：＿＿＿＿＿＿＿＿

致使：＿＿＿＿＿＿＿＿

类似：＿＿＿＿＿＿＿＿

精确：＿＿＿＿＿＿＿＿

2 用所给词语完成句子

1. 因为地址不清楚，所以信件无法送达。（致使）
＿＿＿＿＿＿＿＿＿＿＿＿＿＿＿＿。
2. 满18岁就代表着成人了，要承担起成年人的义务和责任。（意味着）
＿＿＿＿＿＿＿＿＿＿＿＿＿＿＿＿。
3. 真相其实跟你想象的完全不同。（并非）
＿＿＿＿＿＿＿＿＿＿＿＿＿＿＿＿。
4. 我们应该勇敢地承认自己的错误。（勇于）
＿＿＿＿＿＿＿＿＿＿＿＿＿＿＿＿。
5. 随着他的压力越来越大，他的精神越来越紧张。（伴随）
＿＿＿＿＿＿＿＿＿＿＿＿＿＿＿＿。
6. 随着经济的发展，城市里汽车的数量越来越多。（日益）
＿＿＿＿＿＿＿＿＿＿＿＿＿＿＿＿。

3 选择合适的词语填空

成本　及早　顾虑　伤脑筋　称心如意

1. 最近，我在为租房子的事情＿＿＿＿，离单位近的吧，太贵了；便宜的吧，每天花在路上的时间要三四个小时，时间＿＿＿＿太高了。一个人住吧，不安全；跟别人合租吧，又怕有矛盾。见此情形，朋友劝我："现在想找一个＿＿＿＿的房子本来就很难，如果你再＿＿＿＿重重，就更找不到房子了。你前两天看的那个房子就不错，我看你还是＿＿＿＿决定吧，省得将来后悔。"

畏惧　　意志　　挫折　　机遇　　勇于

② 人们常说："失败是成功之母"。人的一生中总会遇到一些________，只有不________失败，________面对困难，才会在实践中获得经验，增强________力，进而抓住________，获得成功。

4 课文中的"不要怕走弯路"是一种比喻的说法，阅读下列表示比喻的句子，并模仿造句

① 男人是山，女人是水。

男人________________，女人________________。

② 漂亮的姑娘像花儿一样。

漂亮的姑娘________________________________。

③ 月亮像一个银色的盘子挂在天空上。

月亮________________________________。

④ 一闪一闪的星星像调皮的孩子眨着眼睛。

星星________________________________。

⑤ 他急得像热锅上的蚂蚁。

他急得________________________________。

5 根据提示，简述课文主要内容

为什么小王最近为工作的事伤脑筋？	① 目前的工作…… ② 对……感兴趣，可……，怕……	
什么原因使小王出现急躁、紧张、顾虑重重的现象？	① 对……缺乏……	
	② 对……过度悲观	不敢想……
		无法承受……
		一旦选错，……
乔布斯的智慧从哪里来？	智慧←—精确的判断力←—经验的积累←—无数错误的判断	

做决定的能力是怎么得来的？	通过……得来的，在这个过程中，人同时具有了……，不畏惧……，勇于……
为什么说生活中的不确定因素日益增多？	❶ 世界一流企业也会…… ❷ 金融危机使……不得不……
为什么说无论你怎么选择，都不太可能选一份称心如意的工作安安稳稳过一辈子？	❶ 经济环境……，企业寿命……，人们要经历…… ❷ ……报考热门专业，以致…… ❸ 新职业的出现，……

运用 Application

写一写

这篇课文告诉我们，敏锐的判断力来自实践和挫折。那么你是怎样在实践和挫折中提升自己的判断力的？请以“判断力来自哪里”为题，结合自己的实际经历写一篇不少于300字的文章。（提示：你在做什么事情时犹豫不决？什么因素促使你做出了决定？事实证明这个决策是否正确？通过这件事，你明白了什么道理？这件事是如何提升你的判断力的？）

____

____

____

扩展 Expansion

1 病句类型：语序不当

“语序不当”指句中词语顺序的排列或不符合语法规则，或不符合汉语的语言习惯。造成病句的主要原因有：定语、状语、宾语位置不当，多层定语、多层状语语序错误，虚词位置不当，另外，“是”字句、“把”字句、兼语句、“被”字句、比较句等特殊句式以及离合词使用时也容易出现语序错误。例如：

序号	病句	分析
1	*你不必给我打电话，已经别人给我打了。	状语位置不当。后半句中“已经”和“给我”都是状语，正确的语序应该是“别人已经［副词］给我［对象］打了”。
2	*地形图上的川藏线弯弯曲曲，像极了高原反应时极速抖动的心电图谱。	宾语位置不当。“像极了”不能带宾语，后半句应改为“和高原反应时极速抖动的心电图谱像极了”。
3	*郑晓龙执导的很多电视剧，对中国人是不陌生的。	主语位置不当。句子主干是“中国人……不陌生”，“不陌生”的对象是“郑晓龙执导的电视剧”，因此应改为“中国人对郑晓龙执导的很多电视剧是不陌生的。”
4	*这事对她打击一定很大，她肯定会受不了，我把这事没告诉她。	“把”字句否定式语序错误。否定词应在“把”字前面，后半句应改为“我没把这事告诉她”。
5	*我们公司管理比较严格，没有特殊情况不准迟到早退，每两个星期一次开会。	离合词与数量词搭配时出现语序错误。“开会”是离合词，数量词常插入“动宾”之间，改为“每两个星期开一次会”。

- **练一练：** 指出下列句子的错误，并提出修改建议

1. 想着想着，他发怒起来。

2. 她不但说了那样，而且也做了那样。

3. 她不是看书就是写文章，每天到深夜都忙。

4. 我想去一起喝茶和我的朋友。

5. 她很有绘画天赋，不光油画画得好，中国画也并比别人画得不差。

2 词汇：熟悉下列近义词

取缔 —— 取消

生疏 —— 疏远

惋惜 —— 可惜

诬陷 —— 陷害

羞耻 —— 耻辱

削弱 —— 减弱

遗失 —— 丢失

遭殃 —— 倒霉

镇定 —— 冷静

自满 —— 骄傲

宰 —— 杀

请柬 —— 请帖

公正 —— 公平

揍 —— 打

8 遇见原来的我

Meeting the old me

热身 Warm-up

1 你思考过这样的哲学问题吗："昨天的你和今天的你是同一个人吗？"下列观点你同意哪一个？

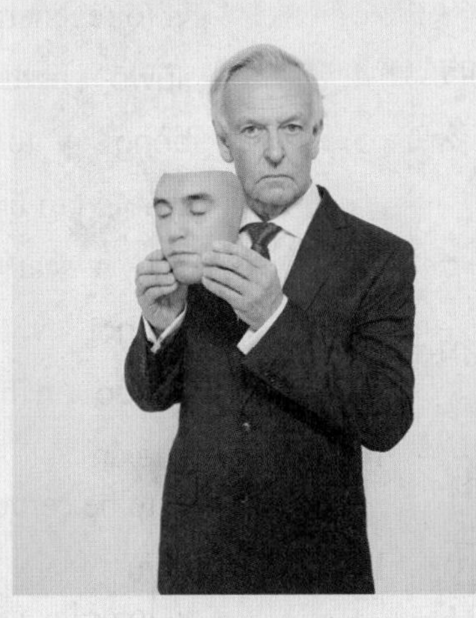

◎不管你变化了多少，始终只有一个你。

◎以前的你跟现在的你并不是同一个人。

◎人的思想最重要，本体并不是最重要的。

2 想一想下列词语之间有什么联系。

信	确信、相信、自信、坚信、可信、听信、信用、信心、信任、信念、半信半疑
现	发现、表现、实现、再现、体现、展现、呈现、现象、活灵活现
述	口述、讲述、复述、记述、论述、转述、自述、陈述、表述、描述、阐述、述说
变	改变、变化、变动、变换、变样、变形、转变、渐变、巨变、演变、变心、变种、千变万化、一成不变

课文 Text 遇见原来的我（932字） 08-1

如果有一天，你看到自己婴儿时期的一张照片，你能认出自己吗？

也许你会一下子认出自己，因为你觉得你一直都是你，但实际上，从拍照片的那一刻起，你的身上已经发生了翻天覆地的变化。比如说，你的皮肤自你出生以来已经被更新130多次了。你的酒窝不见了，5岁那年，你从高处往下蹦，跌倒了，脸上留下的疤痕掩盖了它。你的大脑已经比拍照时增加了2～3倍的重量。

如果你确信你就是你，不管怎样变化，那么，照片上的婴儿到底是不是你？是现在的你，还是一个不同的过去的你？如果是过去的你，那么，有多少个过去的你？是不是还会有更多的不同的你？你用电脑生成了一张你50岁时的图片，对你而言，就像看一个陌生人。

有关本体的问题，困扰了哲学家2500多年。什么是本体？这里说的本体就是我们的思想或身体。

赫拉克利特[1]把自我比喻为一条河，河流流动时会呈现出不同的状态，但它始终是固有的那条河。他将自己的观点阐述为：不管你变化了多少，始终只有一个你。

大卫·休谟[2]不同意“连续的自我”的观点。他是这样陈述自己的

生词 08-2

1. 婴儿 yīng'ér n. baby, infant
*2. 翻天覆地 fāntiān-fùdì earth-shaking, tremendous
3. 更新 gēngxīn v. to regenerate, to renew
*4. 酒窝 jiǔwō n. dimple
5. 蹦 bèng v. to leap, to jump
6. 跌 diē v. to fall, to tumble
7. 疤 bā n. scar
8. 掩盖 yǎngài v. to cover, to conceal
*9. 大脑 dànǎo n. brain
10. 确信 quèxìn v. to be certain, to be sure
11. 比喻 bǐyù v. to draw an analogy, to use a metaphor
12. 呈现 chéngxiàn v. to present (a certain appearance), to appear
13. 固有 gùyǒu adj. intrinsic, inherent
14. 阐述 chǎnshù v. to expound, to set forth
15. 陈述 chénshù v. to state, to explain

① 赫拉克利特：Heraclitus（约公元前540～约公元前480），希腊哲学家。
② 大卫·休谟：David Hume（1711～1776），英国哲学家。

见解的："我们的思想，是连续不断的认知组成的演变过程"。而你可以推测，譬如，婴儿大卫的油画呈现的是一个与成年大卫类似的人，并非完全相同。

哲学家们对本体的问题各抒己见，我们却在想一些更为实际的问题，假如休谟是对的，那么从现在开始，10年后你就会成为另一个人，你还需要遵守现在的你做出的承诺吗？或者说，一个被通缉了15年的罪犯，今天还应该为当初触犯法律的行为受到惩罚吗？

我们每个人都会发生变化。譬如，你去整形，你因为过于忧郁而吃药，你做心、肺或者其他器官移植手术，这些都会逐渐改变你的面貌、情绪和行为，你还是你吗？

德里克·帕菲特③有一个极端得空前绝后的假设，例如将他的大脑一分为二，移植进另外两个身体中，两

③ 德里克·帕菲特：Derek Parfit，英国当代哲学家。

16. 见解 jiànjiě
n. opinion, understanding

17. 演变 yǎnbiàn
v. to change, to evolve

18. 推测 tuīcè
v. to infer, to conjecture, to guess

19. 譬如 pìrú
v. for example, such as

20. 各抒己见 gèshū-jǐjiàn
each airs his/her own views, everybody expresses his/her opinions

21. 通缉 tōngjī
v. to order the arrest (of a criminal at large), to list as wanted

22. 触犯 chùfàn
v. to offend, to violate

23. 惩罚 chéngfá
v. to punish, to penalize

24. 忧郁 yōuyù
adj. melancholy, heavy-hearted

25. 肺 fèi n. lung

26. 器官 qìguān n. organ, apparatus

* 27. 移植 yízhí v. to transplant, to graft

28. 面貌 miànmào n. face, features

29. 极端 jíduān adj. extreme

30. 空前绝后 kōngqián-juéhòu
unprecedented and unrepeatable

个人术后从昏迷中清醒过来，都会认为："我是德里克。"但是，德里克不可能是两个人，他也不可能只是其中的一个。由此，他得出结论："个人的本体并不是真正重要的事情。"

不瞒你说，对这个问题，我是这样想的：哲学家们的言论、学说离我们十分遥远，我们不会陷入本体的思索，我们也不会设想将大脑移植给两个人，那简直就是拿自己的性命开玩笑，我们只想无忧无虑地过日子。可是，会不会有一天，你醒来，感觉今天的我不像原来的我，而像是一个崭新的我了呢？

改编自《同龄鸟·问你问我》同名文章，作者：辛西娅·莱文森（Cynthia Levinson），翻译：凯西

31. 昏迷 hūnmí v. to faint, to be in a coma
32. 清醒 qīngxǐng v. to regain consciousness, to come to
33. 言论 yánlùn n. opinion on public affairs, speech
34. 学说 xuéshuō n. theory, doctrine
35. 遥远 yáoyuǎn adj. far, distant, remote
36. 陷入 xiànrù v. to be immersed in, to be lost in
37. 思索 sīsuǒ v. to think deeply, to ponder
38. 设想 shèxiǎng v. to imagine, to conceive of
39. 性命 xìngmìng n. life
40. 无忧无虑 wúyōu-wúlǜ carefree, free from anxieties
41. 崭新 zhǎnxīn adj. brand-new, wholly new

注释（一） 综合注释

Notes 1 对……而言

"对……而言"，表示从某人、某事的角度来看。用于书面。口语常说"对……来说""对……说来"。例如：

（1）对今天的中国而言，经济发展必须坚持走可持续发展的道路。

（2）对年轻的我们而言，面对困难是件快乐的事情——那意味着挑战。

（3）你用电脑生成了一张你50岁时的图片，对你而言，就像看一个陌生人。

● **练一练**：完成句子

（1）对母亲而言，______________________________________。

（2）对年轻人而言，____________________________________。

（3）____________________，不看那场球，简直就是一辈子的遗憾。

2 有关

①“有关”，动词，意思是“有关系”。例如：

（1）对于这次出现的情况，有关方面做了及时说明。

（2）中国的语文教学向来重视识字，这固然和汉字的特点有关。

②“有关”还是介词，意思是“涉及”。例如：

（1）手术前，他仔细研究了中外有关病例的文字记载。

（2）有关本体的问题，困扰了哲学家2500多年。

● **练一练**：为“有关”选择适当的位置

（1）据A记载，从B明代中后期始，中国C的丝绸、瓷器等商品已由D中外商人贩运到拉美地区。（　　）

（2）A专家提出，办好B没有围墙的C大学，是中国高等教育迈入D大众化时代的关键一步。（　　）

（3）A人们仿照B“酒吧”一词，在C汉语中复制出了很多“吧”。其中与原意稍为近似、与“喝”D的营业性场所就有：“啤酒吧”“水吧”“咖啡吧”“茶吧”“鲜果吧”等。（　　）

3 不瞒你说

“不瞒你说”，插入语，用以表示说话人主观的想法、看法、意见或态度。例如：

（1）不瞒你说，对这个问题，我是这样想的。

（2）不瞒你说，书法方面，本人虽称不上“家”，但水平还是有一些的。

此类插入语常用的还有“我看”“我想”“说实在的”“说真的”“依我看”“依我说”“依我之见”等。例如：

（3）说真的，这次真是孩子给我上了一课：我深深地感到，想当好父母，首先要约束好自己的言行。

（4）说实在的，她的问题涉及了我的隐私，我很反感，话也变得火药味十足。

● **练一练**：完成句子

（1）依我之见，无论你怎么选择，________________。

（2）不瞒你说，这个歌儿________________。

（3）他淡淡地说：“我写文章，说真的，就是玩儿，________。”

（二）词语辨析

极端——极度

	极端	极度
共同点	做副词时，都表示程度极深。	
	如：整整工作了24小时，他感到极度/极端疲劳。	
不同点	1. 多修饰不好的词语。	1. 也可修饰别的词语。
	如：面对这件自己解决不了的事情，他极端苦恼。	如：听到这个消息，我们都极度兴奋。
	2. 可以做名词。	2. 一般不能做名词。
	如：看问题要全面，不要走极端。	
	3. 可以做形容词，“绝对、偏激”的意思。	3. 没有这个用法。
	如：①这种观点太极端。 ②他有个极端得空前绝后的想法。	

● **做一做**：选择“极端”或“极度”填空

1. 他的做法______得让我们无法相信。
2. 紧张的考试之后，他感到______地放松。
3. 他从一个______走向了另一个______。
4. 你的这种观点太______了，不能代表大多数人的看法。

练习 Exercises

1 模仿例子，写出更多的词语

例：更新：更改　更换　更替　变更

比喻：______

昏迷：______

思索：______

崭新：______

2 用所给词语或结构完成句子

1. 如果明天天气不好，______。（那么）
2. 日韩同学觉得汉字没那么难，可______。（对……而言）
3. 同学们______。（各抒己见）
4. 经过一段时间的观察，______。（确信）
5. 如果环境继续恶化，专家们______。（推测）
6. 青藏高原海拔很高，氧气稀薄，环境______。（极端）

3 选择合适的词语填空

各抒己见　见解　无忧无虑　思索　比喻

❶ 今天讨论课的话题是“幸福是什么？”同学们经过一番______后纷纷______。有人说：“幸福就是______地过日子。”有人把幸福______为盛开的花儿，虽然美好，却很短暂；也有人认为幸福是以物质为基础的。可以说，以上这些______其实代表了每个人不同的价值观和人生观。

忧郁　遥远　呈现　譬如　器官

❷ 现代社会，人们的压力越来越大，精神类疾病日益增多。这类疾病会______出不同的状态，______，有的人因为过于______而吃药；有的人怀疑身边的人或事；还有的人出现幻觉……这类疾病离我们并不______，所以我们应该像关注身体______上的疾病一样去关注心理问题。

4 把下面的句子按照正确顺序重新组合成语段

A. 她一个人坐在这里
B. 她想起去年的现在，她是和男朋友两个人坐在这地方
C. 她当时心情是多么激动和欢快啊
D. 心里像装着一块冰
E. 可是一年后的今天

正确顺序：____________________

5 根据提示，简述课文主要内容

从婴儿时期到现在，“你”发生了什么变化？	❶ 皮肤 ❷ 酒窝 ❸ 大脑
到底有多少个“你”？	❶ 婴儿 ❷ 现在 ❸ 以后

关于本我的问题，哲学家们都有什么言论？	赫拉克利特：不管……，始终只有……
	大卫·休谟：不同意……观点，……过程
	德里克·帕菲特：个人的本体并不是……
假如休谟的观点是对的，会带来什么样的问题？	10年后……遵守……承诺 罪犯……受到惩罚
导致人们改变的因素有哪些？	整形、吃药、手术
对普通人而言，本体的问题是怎样的？	

运用 Application

写一写

“今天的你跟昨天的你是同一个人吗？”这是一个关于本体的哲学问题，哲学家们有不同的见解，这篇课文介绍了不同的哲学家对本体的认识和观点，请参考练习5，把课文缩写成300字左右的短文。

____

____

____

扩展 Expansion

词汇：熟悉下列反义词

动荡 ⟷ 稳定
服从 ⟷ 违抗
复活 ⟷ 灭亡
高潮 ⟷ 低潮
高尚 ⟷ 低俗
合并 ⟷ 解散
混浊 ⟷ 清澈

简陋 ⟷ 豪华
歌颂 ⟷ 批判
停滞 ⟷ 发展
推翻 ⟷ 建立
延期 ⟷ 提前
制止 ⟷ 允许

Unit 3

多彩社会

Colorful society

9 不用手机的日子

A day without a cell phone

热身 Warm-up

1 你经常玩儿手机吗？对你来说，手机有什么用途？请在下面的选项中划出，如果还有其他用途，请在横线上补充。

◎打电话

◎上网看新闻

◎拍照

◎看时间

◎听音乐

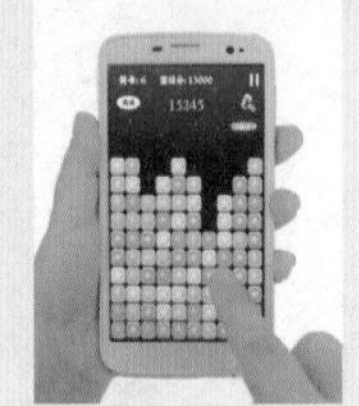
◎玩儿游戏

补充：______________________________

2 想一想下列词语之间有什么联系。

好（hǎo）	好玩儿、好闻、好卖、好使、好用、好听、好感、好受、好过
报	报到、报道、报考、报信、报时、报警、报告、报表、预报、回报、上报、通报
转	转发、转车、转告、转给、转交、转手、转卖、转送、转运、转租、中转
何	何不、何处、何种、何人、何时、何地、何必、何况、如何、为何

课文 Text 不用手机的日子（844字） 09-1

开会时老板火了："别假装正经，我知道你们都在玩儿手机，那玩意儿就那么好玩儿？"

老板指着我："你说说，看了什么？比我说话还有意思？"

我脸憋得通红，说："一对年轻人边开车边拿手机拍照，把桥撞坏了，没报警，先下车拍照发微信。要不要转发给您？"

老板一摆手："你们呀，都让手机给绑架了，这么过日子，不受罪吗？"

一同事举手："老板，刚搜索了一下，离不开手机也是一种精神病。"

老板大吼："有病就得治！"随后黑着脸扔下一句话："以后开会谁都不许带手机！"

老板说的没错，特别是有了智能手机，我就成了手机的奴隶，对什么都麻木了，心里只有手机：三分钟看一次新闻；十分钟发一次微信；吃饭前先拍照；狼吞虎咽吃完，又埋头看微信；睡觉之前先给手机充电……把手机它老人家伺候得好好的。有一次阿毛对我说："我跟你说话呢，你干吗老看手机？"我冲他眨眨眼，说："那你也拿出手机，咱们手机上聊吧，保证不分心！"

生词 09-2

1. 正经 zhèngjing adj. serious, proper
2. 玩意儿 wányìr n. toy, thing
3. 憋 biē v. to suppress, to hold back
4. 报警 bào jǐng v. to call the police
5. 绑架 bǎngjià v. to kidnap
6. 受罪 shòu zuì v. to suffer hardships, to have a hard time
7. 吼 hǒu v. to shout, to roar
8. 智能 zhìnéng adj. smart, intelligent
9. 奴隶 núlì n. slave
10. 麻木 mámù adj. numb, apathetic
11. 狼吞虎咽 lángtūn-hǔyàn to wolf down, to gobble up
12. 伺候 cìhou v. to serve, to wait upon
13. 眨 zhǎ v. to blink, to wink

离开了手机，难道会死吗？何不尝试一下一周关机一天？说干就干，索性这礼拜就开始。

周日，我按小学生的作息时间七点起床，之后，先着手安置我的手机。为了防止自己意志薄弱，我找来个精致的盒子，把手机层层包好，庄重地放在盒子里，收到衣柜最里面。为了分散注意力，我决定去公园锻炼我那僵硬的四肢，因为迷上智能手机以后，我已经好久不锻炼了。

公园里唱的跳的都有。跳舞是我的特长，我兴高采烈地跳起了摇滚，既能娱乐身心，又能锻炼身体，一举两得。

跳完舞，我往家走，突然想起被冷落了半天儿的手机，急忙赶回家，打开衣柜，手机还在，我心里踏实了许多。五个小时没碰它，我

14. 索性 suǒxìng adv. might as well, simply
15. 作息 zuòxī v. to work and rest
16. 着手 zhuóshǒu v. to put one's hand to, to begin
17. 安置 ānzhì v. to find a place for, to arrange for
18. 防止 fángzhǐ v. to prevent
19. 薄弱 bóruò adj. weak, frail
20. 精致 jīngzhì adj. fine, exquisite, delicate
21. 庄重 zhuāngzhòng adj. solemn, grave
22. 分散 fēnsàn v. to divert, to distract
23. 僵硬 jiāngyìng adj. stiff, hardened
24. 四肢 sìzhī n. four limbs
25. 特长 tècháng n. one's strong suit, forte
26. 兴高采烈 xìnggāo-cǎiliè in high spirits, cheerful
27. 摇滚 yáogǔn n. rock and roll
28. 一举两得 yìjǔ-liǎngdé to serve two purposes at once, to kill two birds with one stone
29. 冷落 lěngluò v. to treat coldly, to cold-shoulder
30. 踏实 tāshi adj. free from anxiety, at peace

心空虚得要命，我决定用熬粥这件最消耗时间的事来弥补心中的空虚。烧水，下米，看着雪白的米在沸腾的水中翻滚，屋子里渐渐弥漫着粥的香气，屋外竟然传来了鸟的叫声，我的心慢慢静了下来。要在往常，我一定早待不住了，惦记着某某侦探的案件是不是有了突破，科学家是否有了震惊世界的发现，彩票大奖开了没有，前两天的恐怖袭击到底是谁干的……

没有手机的干扰，生活这么安宁，我突然有了一种回归生活的欣慰。

改编自《北京晚报》文章《不用手机的一天》，作者：珠珠侠

31. 空虚 kōngxū adj. empty, void
32. 要命 yào mìng v. to an extreme degree, extremely
33. 粥 zhōu n. porridge, gruel
34. 消耗 xiāohào v. to consume, to expend
35. 弥补 míbǔ v. to make up, to remedy, to offset
36. 沸腾 fèiténg v. to boil, to bubble
37. 弥漫 mímàn v. to permeate, to spread all over the place
38. 往常 wǎngcháng n. usually, habitually in the past
39. 侦探 zhēntàn n. detective
40. 案件 ànjiàn n. legal case
41. 突破 tūpò v. to break through, to make a breakthrough
42. 震惊 zhènjīng v. to shock, to astonish
43. 彩票 cǎipiào n. lottery ticket
44. 恐怖 kǒngbù adj. terrible, horrible
45. 袭击 xíjī v. to attack, to assault
46. 干扰 gānrǎo v. to disturb, to interfere
47. 安宁 ānníng adj. peaceful, tranquil

注释（一）综合注释

Notes

1 通红、雪白

“通红”“雪白”都是状态形容词，“通红”是形容整个都是红的，“雪白”是形容像雪一样白。这类词功能上主要是描写性的，表示事物的状态，词义重点在第二个汉字上。这类形容词一般包含程度深的意思，因此前边不能再用“很、非常、特别”等程度副词，后面也不能加“极了、得很”等表示程度的补语。重叠形式是“ABAB”式。例如：

（1）我脸憋得通红。

（2）雪白的米在沸腾的水中翻滚，屋子里渐渐弥漫着粥的香气。

（3）那几只还没断奶的小猫幸福地躺在妈妈的怀里，肚子都吃得滚圆滚圆的。

● **练一练**：选择合适的词语填空

雪亮　　冰凉　　笔直

（1）夏天，（　　　）的啤酒加上美味的海鲜，对很多人来讲，极具吸引力。

（2）那是一条（　　　）的公路，她的车无精打采地在公路上前行，远处是茫茫雪山。

（3）人民有自己的亲身经历，眼睛是（　　　）的。

2 说A就A

“说A就A”是常用口语格式，表示事情发生或进展得很快。前后的“A”可以是相同的动词、动词短语，或者是形容词。例如：

（1）说干就干，索性这礼拜就开始。

（2）他辞了职去旅游，可把爸妈气坏了，天天在家唠叨：“挺好的工作，一点儿都不珍惜，说不干就不干了。”

（3）六月下旬，天气说热就热了，人们争先恐后地往商店跑，去买电扇，去买空调。

● **练一练**：用“说A就A”改写句子

（1）你看天上，阴云密布的，马上就得下雨，不带伞哪行啊！

____。

（2）小孩儿就是这样，一会儿哭，一会儿笑。

____。

（3）很快他们两个就好上了，好得朝夕相伴，形影不离。

____。

3 adj./v. + 得 + 要命

“adj./v. + 得 + 要命”表示到了极点。例如：

（1）五个小时没碰它，我空虚得要命。

（2）每次考试之前，不少同学都紧张得要命，吃不好，睡不着，有的还生病。

（3）他风趣地说，自从那次让蛇咬了一口，就害怕所有的爬行动物、虫子，见了麻绳都吓得要命。

● **练一练**：用“adj/v + 得 + 要命”完成句子

（1）他的确是个热心肠，尽管他平日大事小事特别多，______________，可是只要有人求他，他一定会全力相助。

（2）那是我第一次拍戏。临拍前一晚，我______________，整晚睡不着，想戏怎么演，手势怎么摆，足足想了一夜。

（3）妈妈不但在生气，而且______________________________。

（二）词语辨析

索性——干脆

	索性	干脆
共同点	做副词时，用法基本相同。表示说话、做事很直接，没有过多地考虑。	
	如：这鞋子太旧了，索性/干脆扔掉吧。	
不同点	没有右边这个用法	除了副词用法外，还可以做形容词，可以做谓语，表示“爽快”的意思。
		如：这个人说话做事很干脆，一点儿也不拖泥带水。

● **做一做**：判断正误

1. 他觉得这门课没有用，索性不去上课了。 （　　）
2. 你干脆点儿行吗？别总是犹犹豫豫的。 （　　）
3. 我做事一直都很索性，从来不琢磨来琢磨去。 （　　）
4. 他很干脆地拒绝了我，一点儿余地都没有。 （　　）

练习 Exercises

1 模仿例子，写出更多的词语

例：受罪：受伤　受累　受骗　受气

智能：________________

安置：________________

防止：________________

精致：________________

2 用所给词语或结构改写句子

1. 她的脾气不好，经常不知道为什么突然就生气了。（说A就A）

   ________________________________。

2. 这么做不但能增加公司的利润，还能方便用户。（既……又……）

   ________________________________。

3. 找了好几个地方都没找着，干脆不找了。（索性）

   ________________________________。

4. 很多单位在年底就开始制定第二年的计划了。（着手）

   ________________________________。

5. 今天不知道怎么了，堵得这么厉害，以前这里很少堵车。（往常）

   ________________________________。

6. 考试时，我非常紧张，手心里都是汗。（……得要命）

   ________________________________。

3 选择合适的词语填空

案件　　报警　　绑架　　震惊　　侦探

❶ 上个月，这里发生了一起令人________的________，两个年轻人________了他们的同学，然后向同学的父母要一大笔钱。受害孩子的家人________以后，警察迅速开展工作，他们派出一位非常有经验的________，很快就抓住了那两个年轻人，救出了他们的同学。

着手　　作息　　干扰　　四肢　　狼吞虎咽

❷ 我的________时间是这样的：早上6:00起床，先活动活动________，然后做一顿营养丰富的早餐，我吃饭从来不________。享受了美味的早餐后，我________写我的新书，在没人________的情况下，我的写作进度会很快，写着写着一天的时光不知不觉就过去了。

4 阅读语段，模仿造句

❶ 离开了手机，难道会死吗？何不尝试一下一周关机一天？说干就干，索性这礼拜就开始。

丢了工作，难道____________吗？何不____________？说干就干，____________就____________。

❷ 跳舞是我的特长，我兴高采烈地跳起了摇滚，既能娱乐身心，又能锻炼身体，一举两得。

________是我的特长，我____________，既____________，又____________。

5 根据提示，简述课文主要内容。

公司老板为什么开会时发火？	
开会时，“我”在手机上看什么？	一对年轻人……
为什么说“我”成了手机的奴隶？	① 看新闻 ② 发微信 ③ 拍照 ④ 充电 ……
为了关机一天，“我”怎样安置自己的手机？	包好、放在、收到
“我”如何出门锻炼的？	公园、跳舞、既……又……
回家后，“我”又做了什么？	打开、熬粥、往常

运用 Application

写一写

有人说“手机、电脑等高科技产品已经控制了人们的生活”，你是否也像这篇课文所描述的那样成了它们的奴隶？要想改变这种状况，你有什么好的建议吗？请以“如何离开手机”为题，结合自己的实际写一篇不少于300字的文章。

扩展 Expansion 1 病句类型：搭配不当

“搭配不当”指句中词语的搭配不符合语言习惯，不符合语法规则，强行搭配。搭配不当的情况是各种各样的，主语和谓语、主语和宾语、动词和宾语、介词和宾语、关联词以及时态副词与动态助词等，都可能出现搭配错误。定语、状语和中心语搭配不当等，也是不容忽视的易出病句的类型。例如：

序号	病句	分析
1	*他们每年的粮食产量，除了自己消费以外，还要大量卖给国家。	“粮食产量”和谓语中心词“消费”“卖”搭配不当，应改为“他们每年生产的粮食”。
2	*告诉你一个好消息，我考上了HSK四级考试。	“考上了……考试”动词和宾语搭配不当，应改为“通过了……考试”。
3	*温度从24℃～26℃之间，是最适合这种植物生长的。	“在……之间”是固定搭配，“从”应改为“在”。
4	*他是个勤奋好学的学生，自从他选择了汉语，就一直在努力学习了。	“一直在”表示动作状态持续，与“了”搭配不当，可删掉句末的“了”。
5	*大家紧张地注视着拳击比赛的双方，蓝方先是被打倒，接着，他渐渐地爬了起来……	“渐渐”与中心词“爬起来”搭配不当，“渐渐”表示程度或数量逐步缓慢增减，这里应换用“慢慢”。

- **练一练**：指出下列句子的错误，并提出修改建议

1. 这里有“庐山第一景”之称，一年四季泉水叮咚、鸟语花香、青松翠柏、云蒸雾绕。

2. 老板很赏识李朝阳温文尔雅的风度和丰富的知识，对他十分器重。

③ 他相信，凭着自己聪明能干的双手，一定能养活自己。

④ 妈妈对于我不太信任，老把我当成孩子。

⑤ 快过春节了，人们把自己的家打扫得又干净又整齐。

2 词汇：熟悉下列词语的语素义

无知
- 无：没有
- 知：知识

登陆
- 登：由低处上到高处
- 陆：陆地

破例
- 破：突破，撤除
- 例：规则

失踪
- 失：找不着
- 踪：踪迹

盛产
- 盛：兴盛
- 产：生产

散布
- 散：分开
- 布：排列

额外
- 额：规定的数目
- 外：以外

密封
- 密：空隙小
- 封：密闭，关住

埋没
- 埋：用土等物盖住
- 没：隐藏

密度
- 密：事物之间距离近
- 度：程度

扩散
- 扩：扩大
- 散：分散到各处

废墟
- 废：没用的
- 墟：荒废的地方

10 全球化视野中的中国饮食

Chinese food in the global context

热身 Warm-up

1 下面各种食材你认识吗？从下列选项中找出合适的答案填在图片右边并给它们归类。

❶ 柠檬 ❷ 蒜 ❸ 鸡 ❹ 葱 ❺ 芒果 ❻ 鱼 ❼ 西红柿 ❽ 姜 ❾ 土豆

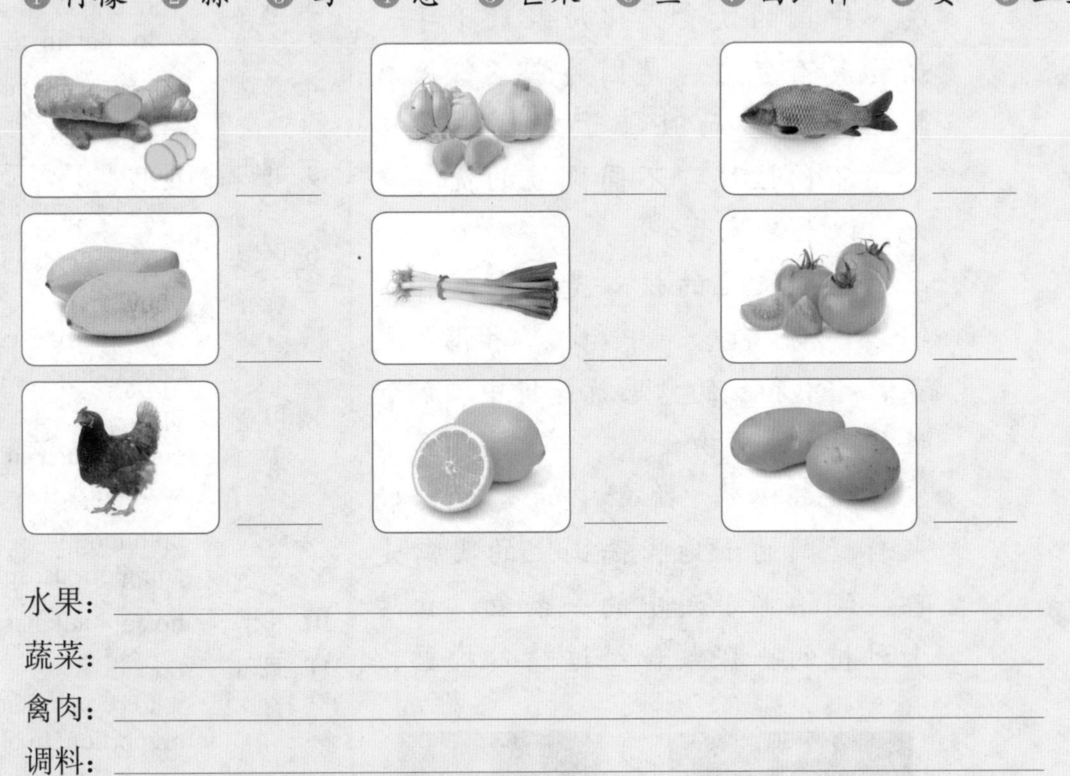

水果：________

蔬菜：________

禽肉：________

调料：________

2 想一想下列词语之间有什么联系。

食	饮食、零食、面食、肉食、甜食、素食、进食、食物、食品、食堂、食用、丰衣足食
明	明确、明显、明白、明明、明知、说明、证明、表明、指明、查明、问明、简明、鲜明
系	父系、母系、体系、派系、太阳系、水系、星系、系列、系统
品	食品、产品、药品、物品、奖品、礼品、商品、甜品、用品、纪念品、农产品、日用品、消费品

课文 Text

全球化视野中的中国饮食（771字） 10-1

任何一个民族的饮食都不仅仅为饮食，它蕴藏着这个民族的精神与特征，传达着这个民族的文化传统。中国的饮食文化历经数千年，始终具有魅力，是因为它不仅民族特性鲜明，而且善于吸收不同国家、不同区域、不同民族的优异之处，以至辉煌至今。

中国文化的核心是一个“和”字。“和”包含“中和”“和谐”之意。“中和”的意思就是折中、调和性质不同的事物。

原本中华[①]饮食中的大量食物来自辽阔的土地，高山上的飞禽走兽，湖泊、小溪中的一条鱼，丘陵上种植的一棵菜，经过精心构思，

生词 10-2

1. 视野 shìyě n. field of vision, view
2. 饮食 yǐnshí n. food and drink, diet
3. 蕴藏 yùncáng v. to contain, to hold in store
4. 传达 chuándá v. to convey, to deliver
5. 鲜明 xiānmíng adj. clear-cut, distinct
6. 区域 qūyù n. region, area
7. 优异 yōuyì adj. superb, excellent, outstanding
8. 以至 yǐzhì conj. to such an extent as to…, so…that…
9. 辉煌 huīhuáng adj. glorious, splendid
10. 和谐 héxié adj. harmonious
11. 调和 tiáohé v. to be in harmonious proportion, to blend
12. 辽阔 liáokuò adj. vast, extensive
13. 飞禽走兽 fēiqín zǒushòu birds and beasts
14. 湖泊 húpō n. lake
15. 溪 xī n. small stream, brook
16. 丘陵 qiūlíng n. hills
17. 种植 zhòngzhí v. to plant, to grow
18. 精心 jīngxīn adj. meticulous, elaborate
19. 构思 gòusī v. to conceive, to design, to construct

① 中华：古代称黄河流域一带为中华，是汉族的发祥地，后用来指中国。

巧妙烹饪，即便仅为一餐素食，也可以让你尽享人间美味。汉唐[②]以后，中亚[③]及东南亚[④]的食物进入了中华饮食体系，极大地丰富了中国食物的品种；近代，西方饮食思想与方式得到认可，具有现代特征的中华饮食形态逐渐形成。

在食材栽培方面，中华饮食坚持以本国物产为基本原料，同时合理引进、培育外来品种，比如咖啡、柠檬、芒果等，凡是历史不够悠久的外来食品，人们一般从食物名称上就能立即清晰地分辨出它的洋身份。至于中餐中使用频率最高的葱、姜、蒜等调料，因其进入中华饮食年代久远，许多中国人甚至把它当成了正宗的中国食材。在加工过程中，中国人照样可以用中国方式烹饪外来食材，使它美味诱人。而这一切得力于中国人能够充分认识异域食物的内在价值，以开放性的思维和灵感，创新式地把外来食物改变为中国饮食成分。

在就餐方式上，中华饮食文化同样显示着不排斥异域文化的态度，比如中餐"合餐制"的形成。先秦[⑤]至唐代，中国采用分餐式方式

20. 烹饪　pēngrèn　v. to cook
21. 即便　jíbiàn　conj. even, even if
22. 素食　sùshí　n. vegetarian meal
23. 人间　rénjiān　n. human world
24. 体系　tǐxì　n. system
25. 品种　pǐnzhǒng　n. variety
26. 认可　rènkě　v. to accept, to approve
27. 形态　xíngtài　n. form, shape, pattern
28. 栽培　zāipéi　v. to cultivate, to grow
29. 培育　péiyù　v. to cultivate, to breed
30. 凡是　fánshì　adv. every, any, all
31. 清晰　qīngxī　adj. clear, distinct
32. 分辨　fēnbiàn　v. to distinguish, to differentiate
33. 频率　pínlǜ　n. frequency
34. 调料　tiáoliào　n. seasoning, condiment
35. 正宗　zhèngzōng　adj. authentic
36. 加工　jiā gōng　v. to process
37. 照样　zhàoyàng　adv. in the same way, all the same
38. 得力　dé lì　v. to benefit from
39. 内在　nèizài　adj. inherent, inward, inner
40. 灵感　línggǎn　n. inspiration, afflatus
41. 创新　chuàngxīn　v. to bring forth new ideas, to innovate
*42. 就餐　jiùcān　to have one's meal
43. 排斥　páichì　v. to reject, to repel, to exclude

② 汉唐：朝代名。汉：前206～220年；唐：618～907年。
③ 中亚：指亚洲中部，包括哈萨克斯坦、乌兹别克斯坦、吉尔吉斯斯坦、塔吉克斯坦及土库曼斯坦五个国家。
④ 东南亚：泛指亚洲的东南部地区。
⑤ 先秦：一般指秦统一中国以前的春秋战国时期。

就餐。南北朝[⑥]时期，一种可随意折起来、称作胡床的坐具和一种较大的餐桌开始在中原[⑦]地区流行，这些器具的推广，打破了跪坐而食的局限，形成了围坐合餐的形式。当然，对“合餐制”的全面接受与文化认同，根本上与“和”文化是相通的。

可以说，中华饮食文化自诞生之日起，就面向世界，边继承，边改革，不断引进新元素，这也是其充满活力的奥秘所在。

改编自《论全球化视野中的中国饮食》，作者：肖向东

44. 折 zhé v. to fold
45. 跪 guì v. to kneel, to go down on one's knees
46. 局限 júxiàn v. to limit, to confine
47. 诞生 dànshēng v. to be born, to come into existence
48. 继承 jìchéng v. to inherit
49. 元素 yuánsù n. element
50. 活力 huólì n. vigor, vitality
51. 奥秘 àomì n. secret, profound mystery

注释（一）综合注释

Notes 1 以至

“以至”，连词，用在后一分句的开头，表示由前一分句的情况程度很深而产生某种结果。也可以说“以至于”。例如：

（1）中国的饮食文化历经数千年，始终具有魅力，是因为它不仅民族特性鲜明，而且善于吸收不同国家、不同区域、不同民族的优异之处，以至辉煌至今。

（2）那个电影她看了十来遍，以至许多台词都能背诵下来。

（3）著名作家纪伯伦 (Kahlil Gibran) 曾说：“我们已经走得太远，以至于忘了为什么出发。”

⑥ 南北朝：420～589年，东晋灭亡以后，中国形成南北对峙的局面，史称南北朝。

⑦ 中原：指黄河中下游地区。

● **练一练：** 用“以至”完成句子

（1）朋友告诉我，这所商学院在北美有相当的知名度，____。

（2）科学技术的发展实在是太快了，____________________。____________________如今变为了现实。

（3）走在路上，他脑子里一直在想别的事，____________________。

2 即便

“即便”，连词，表示假设兼让步，意思是“就是”。例如：

（1）她最近心情不好，即便有些不讲理，你也要原谅她。

（2）我喜欢那个工作，即便薪水低，我还是要去。

（3）原本中华饮食中的大量食物来自辽阔的土地，高山上的飞禽走兽，湖泊、小溪中的一条鱼，丘陵上种植的一棵菜，经过精心构思，巧妙烹饪，即便仅为一餐素食，也可以让你尽享人间美味。

● **练一练：** 完成句子

（1）即便我们拿了冠军，____________________。

（2）大家____________________，即便说错了也没关系。

（3）即便____________________，你也应该严格要求自己。

3 所在

“所在”，名词，表示处所、存在的地方。用于书面。例如：

（1）他选择了风景秀美、气候宜人的所在，盖了房子，安下了家。

（2）培养人是教育的立足点，是教育价值的根本所在，是教育的本体功能。

（3）可以说，中华饮食文化自诞生之日起，就面向世界，边继承，边改革，不断引进新元素，这也是其充满活力的奥秘所在。

● **练一练**：为"所在"选择适当的位置

（1）大家的支持 A 是我们的力量 B，我们一定会尽心尽力做好 C 工作，不辜负大家的期望 D。（　　）

（2）找不到问题 A 在哪儿，解决问题 B 就无从谈起，只有找到问题 C，才谈得上解决问题 D。（　　）

（3）给 A 孩子们 B 创造幸福美好的生活 C，是父亲一生为之奋斗的动力 D。（　　）

（二）词语辨析

凡是——所有

	凡是	所有
共同点	都表示没有一个例外。	
	如：凡是/所有参加会议的人，都要自带笔记本电脑。	
不同点	1. "凡是"强调所说的特定范围，不能直接用在泛指名词前，只能用在有某种特定性质的名词前。	1. "所有"可以直接用在泛指名词前。
	如：①凡是教师，都有国家认定的资格证书。（√） ②凡是东西都放在这里。（×）	如：所有东西都放在这里。（√）
	2. 副词，可以用在动词前。	2. 形容词，只修饰名词，不能用在动词前。
	如：小王酷爱美术，市里凡是有画展，再远他也要去参观学习。	如：所有问题都解决了。

● **做一做**：判断正误

❶ 凡是建筑工人，一律都要穿工作服上班。（　　）

❷ 凡是人才，都要让他们有发挥自己才能的机会。（　　）

❸ 所有从那个地区来的人，都要接受检查。（　　）

❹ 所有收到这个标题的邮件，请不要打开，已经证实这是个病毒。（　　）

练习 Exercises

1 模仿例子，写出更多的词语

例：就餐：合餐　分餐　餐桌　餐厅

优异：________

品种：________

形态：________

调料：________

2 用所给词语或结构改写句子

❶ 她的变化太大了，我跟她面对面都没认出来。（以至）

________。

❷ 就是我们的工作取得了很大的成绩，也不能骄傲。（即便……也……）

________。

❸ 所有见过她的人，没有不称赞她漂亮的。（凡是）

________。

❹ 一个国家的希望都在青少年身上。（所在）

________。

❺ 虽然不是上下班高峰期，这里还是堵车。（照样）

________。

❻ 他能取得这么好的成绩，是因为平时的勤学苦练。（得力于）

________。

3 选择合适的词语填空

正宗　凡是　烹饪　就餐　创新

❶ 妈妈是个______高手，能做出各种各样的美味佳肴。不管多么普通的食材，只要经过妈妈的手，都能变成人间美味，______吃过的人没有不称赞的。妈妈是山东人，不但能做出______的传统鲁菜，更能______式地发明新的吃法，让我们全家人在______时，常常充满了惊喜。

区域　　局限　　品种　　辽阔　　鲜明

② 中国历史悠久，土地_______，不同_______，不同民族的饮食不但特色_______，而且_______丰富。比如：南方人爱吃米饭，北方人爱吃面食；山西人喜欢吃醋，四川人喜欢辣椒，等等，不过，随着各地人员流动的增加，这种_______逐渐被打破了。在全国各地的大小城市，你都能吃到来自各处的各种美食。

4 阅读语段，模仿造句

① 中国的饮食文化历经数千年，始终具有魅力，是因为它不仅民族特性鲜明，而且善于吸收不同国家、不同区域、不同民族的优异之处，以至辉煌至今。

他们两个人结婚三十多年，始终相亲相爱，是因为他们不仅____________________，而且________________，以至_______________。

② 在食材栽培方面，中华饮食坚持以本国物产为基本原料，同时合理引进、培育外来品种，比如咖啡、柠檬、芒果等，凡是历史不够悠久的外来食品，人们一般从食物名称上就能立即清晰地分辨出它的洋身份。

在学习汉语方面，我坚持____________________，同时____________________，比如____________________，凡是____。

5 根据提示，简述课文主要内容

中国饮食文化为什么具有魅力？	不仅……，而且……，以至……	
中国文化的核心	“和”	
中华饮食的发展历程	食物	原本 汉唐以后 近代

中华饮食的发展历程	食材	以……为基本原料 同时 凡是 至于……，因其……，甚至……
	加工过程	……照样……，得力于……
	就餐方式	先秦至唐代 南北朝时期
总结	面向……，边……边……	

运用 Application

写一写

这篇课文介绍了富有魅力的中国饮食文化，分别从饮食文化的历史发展、食材栽培和选择、就餐方式等几个方面进行了介绍，请参考练习5，把课文缩写成300字左右的短文。

____

____

____

扩展 Expansion

熟悉下列地理方面的词语

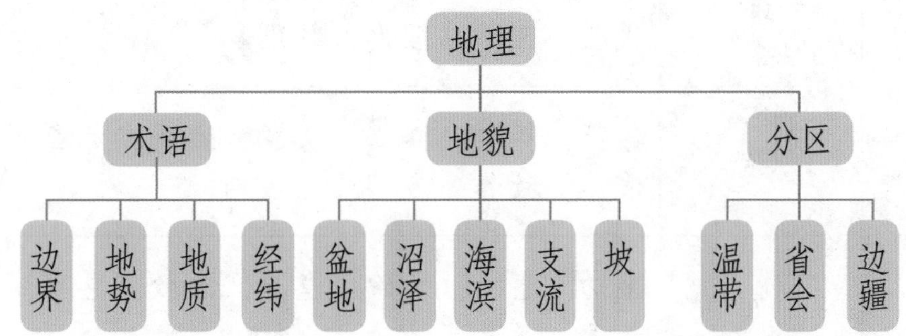

11 我不在时，猫在干什么

What do the cats do when I'm not home

热身 Warm-up

1 你养过猫吗？猫喜欢做什么？请找出与下列图片相对应的内容。

① ________ ② ________ ③ ________

④ ________ ⑤ ________ ⑥ ________

A. 在窗台上晒太阳　　B. 在门口迎接主人　　C. 抓老鼠

D. 梳理自己的毛发　　E. 喝水　　F. 睡觉

2 想一想下列词语之间有什么联系。

好（hào）	好动、好客、好奇、好强、好学、好胜、好战、爱好、喜好
理	整理、梳理、管理、办理、护理、修理、自理、处理、代理、理财、理发、经理
养	养花、养草、养猫、养狗、养鸡、养鱼、养育、饲养、喂养、放养
急	急切、急忙、急诊、急病、急救、急事、急需、急用、着急、紧急

课文 Text 我不在时，猫在干什么（845字）  11-1

钱小奇养了3只猫。大黄原本是只流浪猫，那天，淋着大雨来钱小奇家拜访，下完雨就不走了。见多识广的大黄虽有流浪史，却很有教养，它既不懒惰，也不嘴馋，天天趴在窗台上晒太阳，一副知足常乐的样子。每次钱小奇出门回来，它都恭恭敬敬地在门口迎接，不失君子风度。白白是个男孩儿，嗅觉灵敏，动作敏捷，快活而好动。钱小奇一回家，它就扑上来，亲热地撞主人的腿，还要把钱小奇和他带回来的东西统统闻一遍。喜儿是个人见人爱的女孩儿，

生词 11-2

1. 流浪 liúlàng v. to roam about, to lead a vagrant life
2. 淋 lín v. to pour, to drench
3. 拜访 bàifǎng v. to pay a visit, to call on
4. 见多识广 jiàn duō shí guǎng experienced and knowledgeable
5. 教养 jiàoyǎng n. breeding, education, culture
6. 懒惰 lǎnduò adj. lazy, indolent
7. 馋 chán adj. greedy, gluttonous
8. 趴 pā v. to lie on one's stomach, to lie prone
9. 知足常乐 zhīzú cháng lè happiness consists in contentment
10. 恭敬 gōngjìng adj. respectful, with great respect
11. 君子 jūnzǐ n. gentleman, virtuous man
12. 嗅觉 xiùjué n. sense of smell, olfaction
13. 灵敏 língmǐn adj. sensitive, keen, acute
14. 敏捷 mǐnjié adj. quick, nimble, agile
15. 快活 kuàihuo adj. happy, jolly, merry
16. 扑 pū v. to throw oneself on, to pounce on
17. 亲热 qīnrè adj. loving, affectionate, intimate
18. 统统 tǒngtǒng adv. all, completely

每天大部分时间都在整理自己的毛发，把自己梳理得漂亮而迷人。

钱小奇是个模范饲养员，每天早起第一件事就是伺候猫：清洁猫舍，喂水，喂饭。他虽然工作繁忙，但每天最急切盼望的就是回家开门的那一刻——大黄和白白在门口等候他，喜儿则毫无例外地站在远处，用凝视表达着它深沉的热情。

钱小奇很好奇，自己不在家时猫在做什么？那么长时间，猫们多无聊，会不会忧郁得生病？为了弄清楚这事，他在家里安了个摄像头，监视猫的一举一动。很快，他发现这个不能移动的摄像头有缺陷，拍下的很多镜头都是空的，于是，他增加了设备，并决定自力更生安装一套尖端玩意儿。他边钻研边安装，经过三个多月的努力，安装好的设备不仅能够对猫的动态进行抓拍并储存下图像，钱小奇在外面时还能通过互联网遥控摄像头，对家里的猫进行即时监控，同时能通过操纵、移动摄像头，跟踪到家里的任何一个角落。

通过对大量数据和图片进行分析，钱小奇发现，这三只猫大多数时间都在睡觉。除了睡觉，猫们的行动很有规律，以其中一只猫为例，它每天下午两点左右吃饭喝水，时间误差平均不到5分钟。更有趣的是，每次回家时，守在门口的大黄和白白也不是长时间在门口等

19. 迷人 mírén adj. charming, enchanting
20. 模范 mófàn adj. model, example
21. 饲养 sìyǎng v. to raise, to rear, to breed
22. 清洁 qīngjié v. to clean
23. 喂 wèi v. to feed
24. 繁忙 fánmáng adj. busy, bustling
25. 急切 jíqiè adj. eager, impatient
26. 例外 lìwài n. exception
27. 凝视 níngshì v. to gaze, to stare
28. 深沉 shēnchén adj. deep
29. 监视 jiānshì v. to monitor, to keep watch on
30. 举动 jǔdòng n. move, act, activity
31. 缺陷 quēxiàn n. defect, flaw
32. 镜头 jìngtóu n. camera lens; scene, shot
33. 自力更生 zìlì-gēngshēng to rely on one's own efforts
34. 尖端 jiānduān adj. most advanced
35. 钻研 zuānyán v. to make a careful study of, to study intensively
36. 动态 dòngtài n. motion, behavior
37. 储存 chǔcún v. to store, to lay in/up
38. 遥控 yáokòng v. to remotely control
* 39. 即时 jíshí adv. immediately, at once, instantly
40. 操纵 cāozòng v. to operate, to control
41. 跟踪 gēnzōng v. to follow the tracks of, to tail
42. 角落 jiǎoluò n . corner, nook
43. 误差 wùchā n. error

他，而是在屋里该干吗干吗，听到主人的脚步声和钥匙响后，才会跑到门口来迎接。

这套系统除了帮钱小奇了解了猫的踪迹以外，还帮过钱小奇不少忙。一次，他在办公室上网遥控摄像头，找到了掉在家里桌子下的钱包。如今，只要家里稍有动静，操作系统就能将图像记录下来，并把拍下的照片即时发到他的邮箱里"报警"。

这是一套多么有用的远程遥控家庭安全机器人啊。

改编自《北京晚报》文章《我不在时，猫在家干吗》，作者：李环宇

44. 踪迹 zōngjì n. trace, trail, track
45. 动静 dòngjing n. sound of sth. astir
46. 操作 cāozuò v. to operate, to manipulate

注释（一）综合注释

Notes 1 统统

"统统"，副词，表示行为涉及全部对象，意思是"毫无例外地、一个不剩地"。多用于口语。也可以说"通通"。例如：

（1）我把随身携带着的DV小摄像机、录音机以及照相机统统从包里取了出来。

（2）钱小奇一回家，它就扑上来，亲热地撞主人的腿，还要把钱小奇和他带回来的东西统统闻一遍。

（3）他不抽烟、不喝酒、不喝茶、不喝咖啡、不讲究饮食，什么电影院、酒吧，统统与他无缘。

● **练一练**：用"统统"改写句子

（1）这回我也想把放假的时间全部用来打工。

________________________________。

（2）今天的节目没意思，节目还没演完，剧场里的人就都走光了。

________________________________。

（3）二十年后再回到北京，我几乎认不出它了，到处都是高楼，我熟悉的胡同里的老房子全都被拆掉了。

____。

2 以……为……

"以……为……"结构是书面语表达，相当于口语的"把/拿……作为/当作……"。两个"以……为……"连用时，第二个"以"可以省去。例如：

（1）猫们的行动很有规律，以其中一只猫为例，它每天下午两点左右吃饭喝水，时间误差平均不到5分钟。

（2）普通话以北京语音为标准音，以北方话为基础方言，以典范的现代白话文著作为语法规范。

（3）今天的晚会大伙准备了不少节目，当然以学生为主，老师为辅。

● **练一练**：用"以……为……"改写句子

（1）考试不要把学生当作敌人，把难倒学生作为目的。

____。

（2）这部短篇小说集里描写农村生活的作品最多。

____。

（3）教育学是一门科学，它的研究对象是教育。

____。

3 该干吗干吗

"该干吗干吗"是由"该VO还/就得VO"（如：该学汉语还得学汉语）这个口语格式省略之后形成的，表示一切都按原本的样子进行，没有什么事情能够令其改变。前后的"VO"是相同的动词或动词短语，"还/就得"经常省略。

整个口语格式的使用十分灵活，可变换为"该VV"（如：该吃吃，该玩儿玩儿）、"该VOVO"（如：该打球打球）、"该O还VO"（如：该什么结果还是什么结果。当动词是"是"的时候，前面的"是"省略了）等。例如：

（1）在中国，过年过节商店最忙了，哪儿有假呀，该开门就得开门。

（2）每次回家时，守在门口的大黄和白白也不是长时间在门口等他，而是在屋里该干吗干吗。

（3）哭、着急都不管用，该什么结果还是什么结果。

● **练一练：** 用“该VOVO”或其省略形式改写句子

（1）到点了，走吧，别等她了。

____。

（2）不管是和平年代还是战争年代，人们到了年龄就会恋爱、结婚，丝毫没有改变。

____。

（3）没有什么事情能让他发愁，他整天都是乐呵呵的，吃、玩儿都不耽误。

____。

（二）词语辨析

急切——急忙

	急切	急忙
共同点	意思上都表示着急，但一般不能换用。	
不同点	1. 形容词，表示心情迫切。	1. 副词，表示因为着急而行动匆忙。
	如：大家急切地盼望试验成功。	如：听说公司有要紧事，他急忙穿上衣服跑出门去。
	2. 后边可以加名词。	2. 后边只能是动词，不能加名词。
	如：你急切的心情我们都能理解，但凡事都要慢慢来。	

● **做一做：** 选择“急切”或“急忙”填空

❶ 一听说是急诊病人，大夫______进行抢救。

❷ 妈妈______地盼望孩子早点儿放假回家。

❸ 她______的表情引起了我的注意。

❹ 一接到命令我们就______出发了，没来得及跟大家告别。

练习 Exercises

1 模仿例子，写出更多的词语

例：拜访：拜会　　拜见　　拜望　　拜年

灵敏：______________________

亲热：______________________

镜头：______________________

误差：______________________

2 用所给词语或结构完成句子

① 我不喜欢的东西______________________。（统统）

② 他的心情一点儿都没受这个坏消息的影响，__________。（该VOVO）

③ 上个周末我____________________，我们聊得很高兴。（拜访）

④ 每个人都应该遵守学校纪律，____________________。（例外）

⑤ 任何事情都__________________，不要总依靠别人。（自力更生）

⑥ 他游历过很多国家，____________________。（见多识广）

3 选择合适的词语填空

敏捷　　流浪　　亲热　　饲养　　教养

① 昨天，我在小区里遇到一只______狗，金色的毛发，动作______，看见我，______地跟在我身边。虽然它没有主人，但看起来很有______，像个君子似的。我心里想：这么帅气的狗，主人怎么忍心扔掉呢？我们人类一旦决定______一种动物，就要对它负责到底。

统统　　快活　　凝视　　扑　　趴

② 最近，家里的母猫生了几只小猫，小家伙们________而好动。我一回家，它们就________过来，跟我玩耍。而母猫则________在沙发上________着它的孩子们，眼神中充满了母爱。现在我每天最热切盼望的就是早点儿回家看看它们，别的事情________都不重要。

4 把下列分句按叙述的次序排列成完整的句子

1 A. 小王压不住火气
B. 然后，又把脸趴在他的肩上
C. 突然用拳头打丈夫的肩膀
D. 哭了起来

____

1 A. 山上住着个种树的老爷爷
B. 他的胡子很长
C. 听说在很远很远的地方有一座山
D. 白头发白眉毛白胡子
E. 一直拖到地上

____

5 根据提示，简述课文主要内容

描述一下钱小奇家的三只猫	1 大黄 2 白白 3 喜儿
钱小奇跟三只猫的感情怎么样？	1 钱小奇对待猫 2 猫对待钱小奇
为了弄清楚主人不在时，猫在做什么，钱小奇采取了什么措施？	1 安摄像头 2 增加设备
主人不在时，猫到底在干吗？	1 睡觉 2 有规律
这套系统还帮过钱小奇什么忙？	找到了……

运用 Application

写一写

你养过猫吗？你想过人不在家时猫在做什么吗？这篇课文给我们介绍了钱小奇家几只可爱的猫，描述了主人与猫之间的感情，同时告诉我们主人不在家时猫在做什么。请参考练习5，把课文缩写成300字左右的短文。

扩展 Expansion

1 病句类型：表意不明

所谓“表意不明”，指读者弄不明白这句话的确切意思，很是费解。主要体现在指代不明上。例如：

序号	病句	分析
1	*醋最好不要和羊肉一起吃，一起吃会使它的温补作用大打折扣。	后一个分句中的“它”指“醋”还是“羊肉”不清楚，可将“它”改为“羊肉”。
2	*慕尼黑的啤酒生产已有四百多年历史了，它以清香甘醇而遐迩闻名，因而素有“啤酒城”之称。	“它”指啤酒，素有啤酒城之称的是“慕尼黑”，第二、第三个分句在暗中更换了主语，致使全句多处费解。应改为“慕尼黑生产啤酒已有四百多年历史了，素有‘啤酒城’之称，那里的啤酒以清香甘醇而遐迩闻名。”
3	*唱好一首歌不容易，创作出一首好歌更不容易，她是个文艺爱好者，平时在这方面下了不少功夫。	最后的“这方面”指代不明，是“唱好歌”还是“创作出好歌”？应明确其中之一。
4	*开刀的是他父亲。	“开刀的”可能是医生，也可能是病人，指代不明，应补上确切的表述。
5	*记得吗，我和你认识的时候，还是个中学生，充满热情，充满理想。	句中“还是个中学生”可以是“我”，也可以是“你”，应在该分句前补上主语“我”或“你”。

● **练一练**：指出下列句子的错误，并提出修改建议

❶ 我一定说服妈妈和你一同去，这样你在路上就有个伴儿了。

❷ 今天师傅在开会时表扬了自己，但是我觉得还需要继续努力。

❸ 小张和小王商量好了，他请他看电影，他请他吃饭。

❹ 对学生会提出的建议，我举双手赞成。

❺ 我看见小李和他女朋友有说有笑地走过来，肩上背着双肩包。

2 词汇：看图片，熟悉下列名词

	床单 铺床单 她正在给新床铺床单。		**膜** 保鲜膜 家里的保鲜膜用完了。
	锤 一把锤子 帮我拿一把锤子过来。		**话筒** 一个话筒 桌子上放着一个话筒。
	轮胎 一个轮胎 汽车的轮胎被扎破了。		**钩子** 一个钩子 钩子上挂着几个杯子。

12 我们都爱白噪音

We all love white noise

热身 Warm-up

1 下面的各种情况，你更习惯哪一种？请选择。

◎在非常安静的环境中睡觉。

◎在下雨声中睡觉。

（当周围突然安静时）◎自己也不说话了。

（当周围突然安静时）◎依旧大声说话。

◎学习时开着背景音乐。

◎学习时最好一点儿声音都没有。

2 想一想下列词语之间有什么联系。

界	世界、外界、学界、政界、自然界、文艺界、体育界、教育界、新闻界、各界
器	机器、乐器、电器、充电器、警报器、飞行器、器材、器械、器具
止	停止、中止、防止、禁止、阻止、劝止、止步、止渴、止咳、止疼、止血
呼	呼唤、呼叫、呼喊、呼救、呼声、欢呼、高呼、惊呼、称呼、招呼

课文 Text 我们都爱白噪音（835字）12-1

你有过这样的经验吗？会还没开始，屋子里一片嘈杂，突然房间里莫名其妙地一片寂静，有人说了句“好安静啊”，马上大家又聊了起来。这是什么现象？其实这是千万年自然选择的结果，没有学会在白噪音减退时闭嘴的人，在自然界早已被淘汰掉了。

什么是白噪音？我们不妨形象地描绘一下：白噪音听上去像下雨的声音，或者像波浪拍打岩石的声音，或者像微风抚摸树叶时发出的沙沙声。

在森林里，鸟的叫声就是白噪音，也是天然的警报器。鸟在叫，说明没有危险，鸟叫停止，意味着有了险情，务必要提高警惕了，这时，所有动物都会静下来，只有当鸟叫重新开始时，警报才会解除。

其实不论是鸟叫，还是虫叫，都是寻求异性时，不得已而采取的危险举动，因为叫声暴露了自己，很容易惹祸。倘若不叫，雌雄两性谁也发现不了对方，“婚事”就更谈不上了，那么，祖先遗留下的DNA怎么送给异

生词 12-2

*1. 白噪音 bái zàoyīn white noise
2. 嘈杂 cáozá adj. noisy
3. 莫名其妙 mòmíngqímiào for no apparent reason, inexplicable
4. 淘汰 táotài v. to eliminate through selection or competition
5. 不妨 bùfáng adv. there is no harm in, might as well
6. 描绘 miáohuì v. to describe, to depict
7. 波浪 bōlàng n. wave
8. 岩石 yánshí n. rock
9. 抚摸 fǔmō v. to stroke, to caress
10. 务必 wùbì adv. must, to be sure to
11. 警惕 jǐngtì v. to be vigilant, to be on the alert
12. 解除 jiěchú v. to relieve, to remove, to dispel
13. 不得已 bùdéyǐ adj. to act against one's will, to have no alternative but (to do sth.)
14. 暴露 bàolù v. to expose, to reveal
15. 惹祸 rě huò v. to cause trouble, to incur mischief
16. 雌雄 cíxióng n. male and female
17. 祖先 zǔxiān n. ancestor, forefather
18. 遗留 yíliú v. to leave behind, to hand down

性嘛。既要延续后代，又要保护自己，那就只有用最大的声音，拼命呼唤，同时竖起耳朵，提高警惕，有危险马上闭嘴。原始社会之前，我们的祖先还没有进化成人类，他们最喜欢的事情，可能就是在鸟叫声中无忧无虑地睡大觉。最焦虑的事情就是周围一片寂静，因为那说明危险正在靠拢。我们喜欢听鸟的叫声，因为那会让紧张的神经放松下来。经过数千万年的自然选择，对白噪音减弱越敏感的生物，存活和找到配偶的可能性越大，这种意识在DNA中保留下来，并且世代相传。

会议室里的嘈杂声就是白噪音，大量的白噪音暗示着安全。当嘈杂声减弱时，提示大家要警惕，然后闭嘴、观察，这是人类大脑深处的预警意识。当有人说“好安静啊”时，大家发现没有危险，于是，报警解除。

白噪音会让我们有安全感，从而放松身心。鉴于白噪音有这样的功效，它理所当然地成了医生的好

19. 嘛 ma part. *indicating that the reason is obvious*
20. 延续 yánxù v. to continue, to last
21. 后代 hòudài n. offspring, posterity
22. 呼唤 hūhuàn v. to shout, to call out
23. 竖 shù v. to set upright, to put up
24. 原始 yuánshǐ adj. primeval, primitive
25. 进化 jìnhuà v. to evolve
26. 靠拢 kàolǒng v. to come close, to approach
27. 神经 shénjīng n. nerve
28. 生物 shēngwù n. living thing, organism
29. 配偶 pèi'ǒu n. spouse
30. 世代 shìdài n. long period of time, for generations
31. 暗示 ànshì v. to imply, to hint
32. 提示 tíshì v. to prompt, to point out
33. 鉴于 jiànyú conj. in view of, in light of
34. 功效 gōngxiào n. effect, efficacy
35. 理所当然 lǐsuǒdāngrán as a matter of course, naturally

帮手：人们利用它对神经系统疾病患者进行辅助性治疗，成功地减轻了病人的症状；用它治愈了一些多动症患儿的精神集中能力障碍；受到环境噪音污染的人群，也可用白噪音帮助恢复工作效率……

白噪音实际上是大自然给予我们的声音暗示，它清晰地对我们说："嘿，你可以放松精神，不必焦虑啦。"

改编自《青年文摘》同名文章，作者：张英锋

36. 疾病　jíbìng　n. disease, illness
37. 患者　huànzhě　n. patient
38. 辅助　fǔzhù　adj. auxiliary, subsidiary
39. 症状　zhèngzhuàng　n. symptom
40. 愈　yù　adj. cured, healed
41. 障碍　zhàng'ài　n. obstacle, barrier, impediment
42. 噪音　zàoyīn　n. noise
43. 给予　jǐyǔ　v. to give, to offer
44. 嘿　hēi　int. hey

注释（一）综合注释

Notes 1 不妨

"不妨"，副词，表示可以这样做，没有妨碍。含有说话人认为这样做更好的意味，用于鼓励、建议的场合。例如：

（1）有什么意见，你不妨直说。

（2）什么是白噪音？我们不妨形象地描绘一下。

（3）改变人们的传统观念可能不容易，但我们不妨试一试。

● **练一练**：用"不妨"改写句子

（1）她说的方法也许可行，你试试也可以。

______________________________。

（2）想接触社会、了解社会，你可以从做志愿者入手。

______________________________。

（3）从目前我们掌握的证据来看，我们或许可以做这样的假设。

______________________________。

2 务必

“务必”，副词，表示态度坚决、必须、一定要。多修饰动词、动词短语。例如：

（1）鸟叫停止，意味着有了险情，务必要提高警惕了。

（2）50岁以上的人容易骨折，因此进行跳跃或其他剧烈活动时务必注意了。

（3）海带凉拌菜做法超级简单，不过务必将海带多泡些时间，不然不易消化。

● **练一练**：用“务必”改写句子

（1）危险来临的时候，大家一定要镇静。

____。

（2）请转告他，明天一定要出席会议。

____。

（3）山路不好走，开车一定要小心。

____。

3 鉴于

“鉴于”，连词，意思是“觉察到、考虑到”。用在表因果关系的复句中前一分句的句首，指出后一分句行为的依据、原因或理由。用于书面。例如：

（1）鉴于农村教师严重缺乏，他决定大学毕业以后，到农村去当老师。

（2）鉴于白噪音有这样的功效，它理所当然地成了医生的好帮手。

（3）鉴于中国的娱乐片起步较晚，创作人员在把握观众心理、掌握特定技巧等方面尚有欠缺，这样的研讨会无疑给创作者提供了极大的帮助。

● **练一练**：完成句子

（1）鉴于近来生意清淡，大家讨论决定____________________。

（2）鉴于篇幅所限，本章仅__________________________。

（3）鉴于____________________，学校决定明天停课一天。

（二）词语辨析

不得已——不得不

	不得已	不得不
共同点	都表示没有办法，不能不这样做，都可以修饰动词。	
	如：半路上车坏了，我们不得已/不得不又回来了。	
不同点	1. 形容词，可以修饰名词。	1. 只能修饰动词。
	如：这也是不得已的办法，你试试吧。	如：由于资金不足，这项工程不得不停止。
	2. 可以有“主语+是+不得已”的用法，“不得已”也可单独成为一个小句。	2. 没有这个用法。
	如：①他半夜动身也是不得已。 ②屋里坐不下，不得已，我们只好站在外边。	
	3. 可以用在“由于/出于/因为”之后。	3. 没有这个用法。
	如：出于不得已，我只好把孩子放在亲戚家里。	

● **做一做**：选择“不得已”或“不得不”填空

1. 实在是______，我把房子卖了。
2. 父亲去世以后，他______放弃学业，出去打工。
3. 这是______的措施，请大家谅解。
4. 这样安排也是出于______，你就别抱怨了。

练习 Exercises

1 模仿例子，写出更多的词语

例：解除：删除　免除　除掉　除去

务必：________________

延续：________________

后代：________________

功效：________________

2 用所给词语改写句子

❶ 有什么意见，你可以当面提出来，不要在背后议论。（不妨）

________________________________。

❷ 明天的会非常重要，大家一定要参加。（务必）

________________________________。

❸ 他们实在没有别的办法，只好出去向别人借钱。（不得已）

________________________________。

❹ 考虑到他出色的表现，公司决定让他担任部门经理。（鉴于）

________________________________。

❺ 他的病彻底治好了，全家都非常高兴。（愈）

________________________________。

❻ 孩子按道理应该孝顺父母。（理所当然）

________________________________。

3 选择合适的词语填空

波浪　抚摸　岩石　神经　给予

❶ 人们喜欢在海边听________拍打________的声音，喜欢在森林里听鸟儿的叫声，也喜欢听微风________树叶发出的沙沙声，因为这些声音可以让紧张的________放松下来。这些声音是大自然________人们的宝贵礼物，可以治疗很多神经系统疾病。

患者　障碍　症状　功效　辅助

❷ 对于有睡眠________的人来说，除了去医院接受治疗以外，一些________性治疗方法的________也很不错，比如：睡前喝一杯牛奶，听一些轻柔的音乐，放松心情等等，都可以减轻________的________。

4 阅读语段，模仿造句

❶ 其实不论是鸟叫，还是虫叫，都是寻求异性时，不得已而采取的危险举动，因为叫声暴露了自己，很容易惹祸。

不论________________，还是________________，都喜欢吃烤鸭，因为________________。

❷ 既要延续后代，又要保护自己，那就只有用最大的声音，拼命呼唤，同时竖起耳朵，提高警惕，有危险马上闭嘴。

学习汉语时，既要________________，又要________________，那就只有________________，同时________________。

5 根据提示，简述课文主要内容

文中提到了哪几种白噪音？	❶ 下雨的声音 ❷ 波浪拍打岩石的声音 ❸ 微风抚摸树叶的声音 ❹ 鸟的叫声 ❺ 会议室的嘈杂声
白噪音给我们什么暗示？	❶ 安全 ❷ 危险
鸟儿为什么要叫？	❶ 寻找异性 ❷ 延续后代
白噪音有什么功效？	❶ 放松身心 ❷ 治疗疾病——神经系统疾病；多动症患儿 ❸ 恢复工作效率

运用 Application

写一写

这篇课文告诉我们什么是白噪音，大自然中有哪些白噪音，白噪音会带来什么样的暗示以及白噪音有哪些作用。请参考练习5，把课文缩写成300字左右的短文。

扩展 Expansion

词汇：熟悉下列词语搭配

词汇	搭配	例句
颁发	颁发证书/颁发奖状	1995年3月，国务院颁发通知，全国实行每周五天工作制。
报复	报复心理/打击报复	人类不爱护环境，最终必将招致大自然疯狂的报复。
报销	凭票报销	因公出差车票可以报销。
备份	备份文件	这个文件很重要，记得及时做个备份。
补贴	补贴家用/生活补贴	听说有些国家对多植树的个人和家庭会给一定的绿化补贴。
哺乳	哺乳动物/哺乳期	猫是哺乳动物吗？
巢穴	建造巢穴	出去捕食的鸟妈妈一直惦记着巢穴里的孩子。
处分	受处分	考试作弊当然要处分。
档案	人事档案	我们公司有非常完整的客户档案。
东道主		这次奥运会，东道主获得的金牌总数最多。
对称	不对称	中国很多传统建筑都是对称设计的。
对应	与……（相）对应	进入考场后请先找到与准考证上号码对应的座位坐好。

Unit 4

走遍天下

Traveling around the world

13 从旅游指南看世事变迁

How travel guides reflect the changes of the world

热身 Warm-up

1 旅游指南包括哪些内容？请选择填空。

名胜古迹　地理环境　人文特色　酒店住宿　特色饮食　交通路线

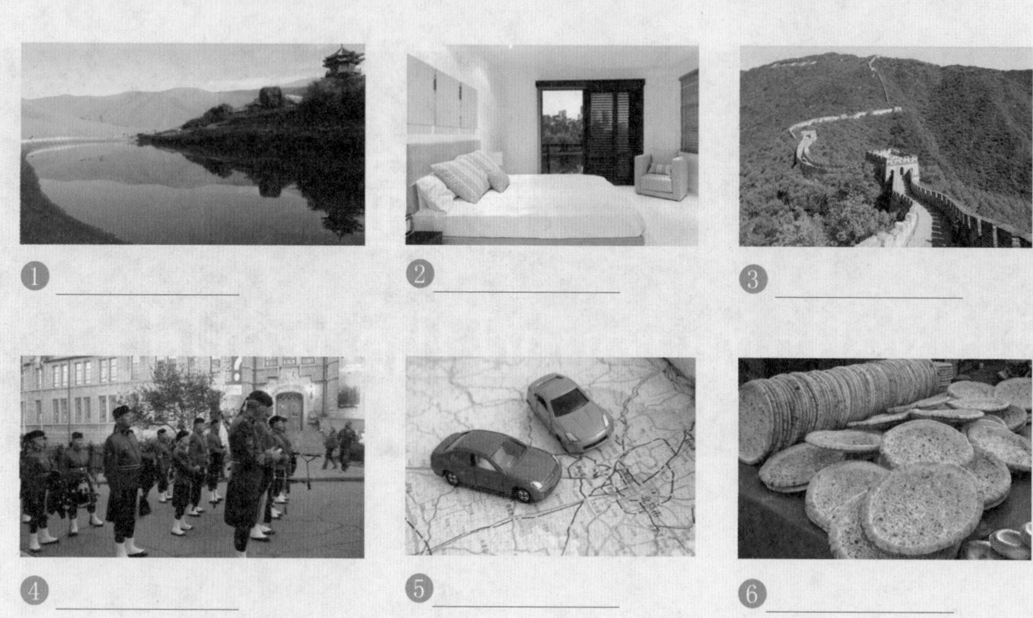

① ________　② ________　③ ________

④ ________　⑤ ________　⑥ ________

2 想一想下列词语之间有什么联系。

初	起初、最初、当初、年初、月初、初步、初春、初夏、初学、初恋、初创
居	居住、居民、居留、居家、安居、邻居、定居、同居、分居、群居
类	类别、类型、种类、分类、门类、同类、人类、鸟类、肉类、鱼类、指南类、旅游类
世	问世、去世、人世、世界、世道、世事、世上、世态、举世瞩目、与世无争、人情世故

课文 Text 从旅游指南看世事变迁（868字） 13-1

人类一向与旅游共存。从有了人类，就有了旅行。

起初，人类旅行更准确地说，应该叫迁徙。天气变化、食物短缺，或者有敌人侵犯，人们不得不远离居住地，寻找能够安居的地方，那时的旅行纯粹是生存和安全的需要。

后来，古人远离家乡，去游山玩水，也就有了真正意义上的旅游。指南针发明后，中国有了海外旅行者。若干年来，旅游在世界范围内都是一个热门话题。

一些足迹遍布世界的旅行者千方百计来到了中国，可开始，他们连一本旅游指南类的书籍都没有，可以说是困难重重。直到1898年，中国最早的旅游指南问世了。那是一本携带方便的口袋书，作者在序言中说“天津[①]异常繁华”，为便于外地人出行，他搜集了当地文化习俗以及车船码头等

生词 13-2

1. 变迁 biànqiān v. to change, to go through vicissitudes
2. 一向 yíxiàng adv. all along, always
3. 起初 qǐchū n. at first, in the beginning
4. 迁徙 qiānxǐ v. to migrate, to move
5. 侵犯 qīnfàn v. to invade, to encroach or infringe on
6. 居住 jūzhù v. to live, to dwell
7. 纯粹 chúncuì adv. solely, purely
8. 生存 shēngcún v. to survive, to live
9. 指南针 zhǐnánzhēn n. compass
10. 若干 ruògān pron. some, several
11. 遍布 biànbù v. to spread all over, to be located everywhere
12. 千方百计 qiānfāng-bǎijì by every possible means
13. 书籍 shūjí n. books
14. 问世 wènshì v. to be published, to come out
15. 携带 xiédài v. to carry, to bring along
16. 序言 xùyán n. preface, foreword
17. 繁华 fánhuá adj. busy, bustling, prosperous
18. 便于 biànyú v. to be easy to, to be convenient for
19. 习俗 xísú n. custom
20. 码头 mǎtóu n. wharf, dock, quay

① 天津：简称津，中国直辖市之一，中国北方经济中心、环渤海地区经济中心，中国北方重要港口城市。

信息，做了简要介绍。之后，一度引起轰动的旅游指南要算《北平旅行指南》了，它趣味性强，实用价值高。这本书是在中外人士的共同努力下完成的，中、外文版本同时发行，真正方便了读者。

改革开放前，旅游是中国外交事业的延伸和补充。改革开放以后，旅游真正作为经济型产业受到重视，旅游指南也随着旅游业的振兴变得越来越丰富，越来越全面。

开始，由于游客主要是外国人，旅游类书籍便把服务对象锁定为他们。1999年以后，中国人逐渐成为游客中的主流，国内旅游和出国旅游都变得犹如家常便饭，旅游书籍也就扩大了服务对象，调整了服务宗旨，增加了相关栏目，变得越来越接地气，越来越人性化了。

现在，最受欢迎的是自助游。背包客、自由行已成为中国人旅游最重要的方式之一。和过去相比，游客不再仅关注著名旅游城市，偏僻省份、沿海城市、秀美的乡镇，都成了游客感兴趣的地方。旅游指南不仅介绍地理环境、风土人情、人文特色、著名风景，还会介绍当地饮食、宗教、考古新发现等，青年旅社、经济型酒店、当地交通等内容更是必不可少。帮助读者选择

21. 简要 jiǎnyào adj. brief, concise
22. 一度 yídù adv. once, for a time
23. 轰动 hōngdòng v. to cause a sensation, to make a stir
24. 趣味 qùwèi n. interest, delight
25. 人士 rénshì n. personage, person, public figure
26. 版本 bǎnběn n. edition, version
27. 发行 fāxíng v. to issue, to publish, to distribute
28. 事业 shìyè n. cause, undertaking, career
29. 延伸 yánshēn v. to extend, to stretch
30. 产业 chǎnyè n. industry
31. 振兴 zhènxīng v. to cause to prosper, to revitalize
32. 主流 zhǔliú n. mainstream, essential aspect
33. 犹如 yóurú v. to be like, to seem as if
34. 宗旨 zōngzhǐ n. aim, purpose
35. 栏目 lánmù n. column (in a newspaper, magazine, etc.)
36. 人性 rénxìng n. human nature, humanity
37. 偏僻 piānpì adj. remote, far-off
38. 沿海 yánhǎi n. along the coast, coastal
39. 风土人情 fēngtǔ rénqíng local conditions and customs
40. 宗教 zōngjiào n. religion
41. 考古 kǎogǔ v. to engage in archeological studies

最佳旅游时间，甚至为游客提供经费预算方面的信息，旅游指南绝对是游客的好参谋。

如今，繁体字、简体字旅游网站的开通，更大范围地方便了游客。卫星导航系统的广泛应用，使得人们不管走到哪儿，都犹如有位随身的向导。说得夸张点儿，到汽车租赁公司租上辆汽车，带上顶帐篷，就算走到天边，你都不用发愁。

改编自《参考消息》文章《从旅游指南看变化》，作者：王诗培

42. 经费 jīngfèi n. fund, outlay
43. 预算 yùsuàn v./n. budget
44. 参谋 cānmóu n./v. adviser; to advise
45. 繁体字 fántǐzì n. traditional Chinese character
46. 简体字 jiǎntǐzì n. simplified Chinese character
47. 卫星 wèixīng n. satellite
48. 导航 dǎoháng v. to navigate, to pilot
49. 向导 xiàngdǎo n. guide
50. 租赁 zūlìn v. to rent, to hire, to lease
51. 帐篷 zhàngpeng n. tent

注释（一）综合注释

Notes 1 便于

“便于”，动词，表示较容易做某事。“便于”后面多为动词性词语。例如：

（1）科普文章应该写得简明易懂、便于理解。

（2）多数学者认为目前图书分类太过繁杂，不便于利用。

（3）为便于外地人出行，他搜集了当地文化习俗以及车船码头等信息，做了简要介绍。

● **练一练：**为“便于”选择适当的位置

（1）A为了B推销，她给这种儿童服装C起了个D好听的名字——帅王子。（　　）

（2）那时的建筑系只A收男生，B不收女生，学校的管理者说，这样更C管理，因为建筑系的学生需要经常在夜里作图画画，而一个女生深夜待在画室是很不D适当的。（　　）

（3）一种A说法是，B老年人胃的消化力弱，C吃面条，更D消化吸收。（　　）

2 犹如

"犹如"，动词，意思是"好像、如同"。用于书面。例如：

（1）公司的劣质产品气坏了消费者，顾客的愤怒情绪犹如火山爆发般难以控制。

（2）1999年以后，中国人逐渐成为游客中的主流，国内旅游和出国旅游都变得犹如家常便饭。

（3）卫星导航系统的广泛应用，使得人们不管走到哪儿，都犹如有位随身的向导。

● **练一练：** 为句子选择适当的上句

A. 我们的人生　　B. 先生讲课声调不高　　C. 夕阳照耀下的古城

（1）（　　），犹如温暖的春风扑面，智慧的清泉入心。

（2）（　　），色彩犹如油画般厚重。

（3）（　　），犹如一片一望无际的大海，我们每个人，每天都在这片广阔的大海上航行。不爱大海的人，每天都会觉得度日如年、生无所盼；只有热爱海洋的人，才会懂得大海，懂得如何在海上航行得更加长远、更加顺利。

3 和……相比

"和……相比"的完整格式是"A和B相比，A……"，格式中两个"A"指同一事物，句式的重点在于对A进行充分的叙述与描绘。也说"与……相比""同……相比"。例如：

（1）由于经济环境的不确定，企业的寿命越来越短，和10年前相比，人们要经历更多次的职业选择。

（2）走出书店的大门，他眼前一亮，和昏暗、冷清的书店相比，外面的大街既明亮又热闹。

（3）和过去相比，游客不再仅关注著名旅游城市，偏僻省份、沿海城市、秀美的乡镇，都成了游客感兴趣的地方。

● **练一练：** 把括号里的内容放在句子中合适的位置

(1) 今天，A我们B从阅读、写信、学习、购物到看病，C无不依赖电脑来完成。D人们的生活方式、工作方式已发生了深刻的变革。（和昨天相比，）

(2) 虽然，A大学生对自我情绪B具有一定的控制能力，C但在激动状态下，D也常因情绪失控而产生冲动性的行为。（和中学生相比，）

(3) A影视服装有着自身的艺术形式和规律B，其设计C必须服从影视剧的特定时间、环境、情节和角色的身份需求D。（和其他服装相比，）

（二）词语辨析

一向——一度

	一向	一度
共同点	做副词时，都表示时间范围，但一般不能换用。	
不同点	1. 表示从过去到现在，一直。	1. 表示过去有段时间发生过，有过一次。
	如：我们家一向好客，来了客人总是热情招待。	如：去年，老师一度病得很厉害，现在好多了。
	2. 表示从上次见面到现在。	2. 没有这个意思。
	如：（打招呼时）你一向好啊！	
	3. 没有右边这个用法。	3. 还是数量词，表示一次、一阵。常说“一年一度”。
		如：一年一度的春节又到了。

● **做一做：** 选择“一向”或“一度”填空

❶ 他的性格比较古怪，______独来独往，不跟别人交流。

❷ 一年______春又到，柳树已经发芽，燕子也都飞回来了。

❸ 老王，好久不见，你______可好？

❹ 汉语太难了，我______想放弃，但最后还是坚持下来了。

练习 Exercises

1 模仿例子，写出更多的词语

例：犹如：比如　例如　譬如　一如既往

生存：__________

简要：__________

趣味：__________

产业：__________

2 用所给词语或结构完成句子

1. __________，后来我慢慢明白了父母的心。（起初）
2. __________，他几乎没生过病。（和……相比）
3. 大学毕业以后，__________。（若干）
4. 印度尼西亚被称为千岛之国，__________。（遍布）
5. 虽然他现在很成功，但__________。（一度）
6. 为了公司的发展，__________。（千方百计）

3 选择合适的词语填空

人士　版本　问世　简要　序言

1. 他是一位深受广大读者喜爱的作家。最近，他的又一本新书______了，在中外______的共同努力下，该书的中、外文______同时发行。作者在______中______介绍了这本书的内容，除此以外，还对家人和朋友的支持表示了感谢。

振兴　偏僻　人性　产业　风土人情

2. 随着中国经济的发展，旅游逐渐成为人们生活中必不可少的一部分。人们不但关注那些著名的旅游城市，也把目光越来越多地投向了______省份，那些地方独特的______吸引了越来越多的游客。随着当地旅游______的______，服务质量也有所提升，变得越来越______化了。

4 给下列两组复句重新排序

❶ A. 因为我不但是北京人
B. 看见过许多西方的名城
C. 北京是美丽的，我知道
D. 而且到过欧美

____

❷ A. 我们无论认识什么事物
B. 不但要看到它的正面
C. 都必须全面地去看
D. 而且要看到它的反面
E. 否则，就不能有比较完整和正确的认识

____

5 根据提示，简述课文主要内容

<table>
<tr><td rowspan="2">从古到今，人类旅行的目的有什么变化？</td><td colspan="2">起初，天气……，食物……，敌人……，人们不得不……</td></tr>
<tr><td colspan="2">后来，……，游山玩水，有了……</td></tr>
<tr><td rowspan="5">说一说中国旅游指南的发展历程。</td><td colspan="2">开始，连……都没有</td></tr>
<tr><td rowspan="2">1898年，……问世</td><td>为便于……</td></tr>
<tr><td>……搜集……等信息</td></tr>
<tr><td rowspan="2">之后，《北平旅行指南》</td><td>趣味性……，实用价值……</td></tr>
<tr><td>中、外文版本</td></tr>
<tr><td rowspan="4">改革开放前后，旅游指南有什么变化？</td><td rowspan="2">改革开放前</td><td>是……的延伸和补充</td></tr>
<tr><td>游客主要是……，服务对象……</td></tr>
<tr><td rowspan="2">改革开放后</td><td>……受到重视，……变得越来越……</td></tr>
<tr><td>1999年后，……成了主流，……扩大了……，调整了……，增加了……</td></tr>
</table>

说一说目前旅游指南的内容和发展情况。	内容	不仅介绍……，还会介绍……，……更是必不可少。
	发展	旅游网站……，卫星导航系统……，使人们……

运用 Application

写一写

这篇课文介绍了中国旅行指南发展的历程，同时告诉我们旅行指南一般包括哪些内容，有什么作用。你常旅游吗？你也经常用到旅行指南吗？请参照本文内容，以“我最喜欢的一本旅行指南”为题，介绍一本你最喜欢的旅行指南。说清楚这本指南包括的内容以及你喜欢它的原因。文章不少于400字。

____

____

____

扩展 Expansion

1 病句类型：逻辑不通

所谓逻辑不通，指句子在语法方面是正确的，但表达的意思或前后矛盾，或不符合概念、判断、推理等形式逻辑或事理逻辑。例如：

序号	病句	分析
1	*骑自行车可以锻炼身体，还不用汽油，因为它是最环保的交通工具。	关联词错用。前两个分句是原因，后一个分句是结果，关联词应改用“所以”或“因此”。

序号	病句	分析
2	*下一步金融改革的重点之一是加快建立存款保险制度，目前存款保险制度建立接近成熟。	既然“下一步金融改革的重点之一是加快建立存款保险制度”说明“存款保险制度”还没有建立，与后一分句“目前存款保险制度建立接近成熟”语义前后矛盾。
3	*人们更喜欢吃一些新鲜的梨、桃、瓜果，而不喜欢服用维生素C药丸。	“梨”“桃”属于“瓜果”，出现了矛盾，应将“瓜果”改为其他具体的水果名称。
4	*中国是个多民族国家，是56个民族。	“中国是56个民族”判断不成立，应改为“中国有56个民族”。
5	*为了杜绝假冒伪劣产品不再流入市场，必须加强生产、流通环节的监督管理。	逻辑混乱。“杜绝”“不”构成双重否定，双重否定等于肯定，等于是说“为了让假冒伪劣商品流入市场，……”，应改为“为了杜绝假冒伪劣产品流入市场……”。

● **练一练**：指出下列句子的错误，并提出修改建议

❶ 年轻人缺乏的就是理论水平不高和工作经验不足。

❷ 晚会上表演了音乐、舞蹈、武术和很多文艺节目。

❸ 由北京人民艺术剧院复排的大型历史话剧《蔡文姬》定于5月1日在首都剧场上演，日前正在紧张的排练之中。

❹ 在古代，这类音乐作品只有文字记载，没有乐谱资料，既无法演奏，也无法演唱。

❺ 昨天是HSK考试报名截止日期的最后一天，还陆续有人前来报名。

2 词汇

（1）熟悉下列交通方面的词语

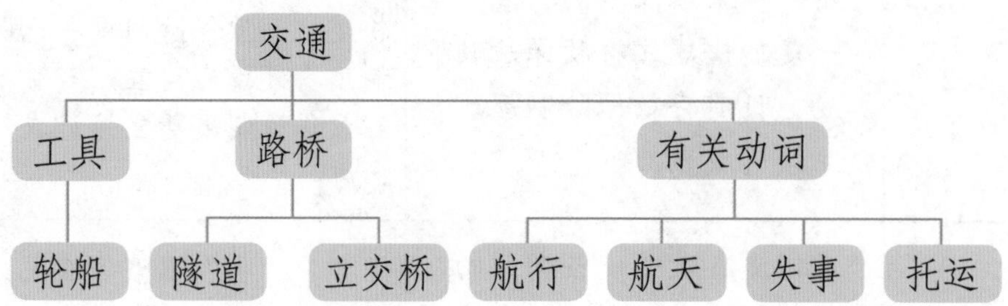

（2）熟悉下列农业方面的词语并选择填空

灌溉　化肥　水利　畜牧　杂交

❶ 这个地区大面积种植了________水稻，为了方便________，人们兴修________。

❷ 草原地区可以大力发展________业。

❸ 使用________可以提高农作物单位面积的产量。

14 背着电饭锅拍北极

Photographing the North Pole carrying an electric cooker on the back

---

热身 Warm-up

1 你去过北极吗？你印象中北极人的生活是什么样的？请看图片了解一下。

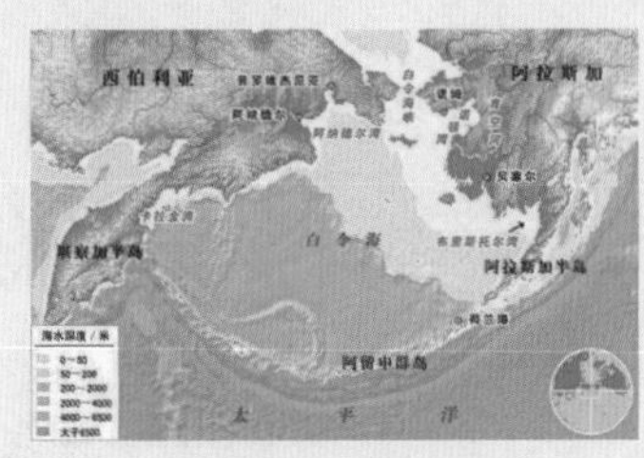

白令海峡
（Báilìng Hǎixiá）

北极熊
（běijíxióng）

雪屋
（xuě wū）

北极圈
（běijíquān）

因纽特人
（Yīnniǔtèrén）

打猎
（dǎ liè）

2 想一想下列词语之间有什么联系。

论	评论、言论、谈论、议论、讨论、辩论、结论、理论、争论、论述、论文
访	访问、访友、拜访、出访、回访、来访、探访、走访、家访
差（chā）	差别、差距、差异、差价、反差、色差、温差、时差
惊	惊奇、惊动、惊喜、惊慌、惊吓、惊叫、惊人、惊险、惊心、吃惊、震惊、受惊

课文 Text 背着电饭锅拍北极（844字） 14-1

王建男大学毕业做过摄影记者、新闻评论员、编辑，50岁做了社长。追求完美的性格，使他领导的报社成为中国报业改革的典型，每天都会有一拨拨同行前来考察访问。就在王建男事业达到高峰的时候，他毅然决定离开报社：他累了，身心疲惫，他想做自己愿意做的事，力所能及地开拓新的生活。

没有了职务，王建男像是从捆绑状态中被释放出来，一身轻松。他先是办了家企业；不久他跨洋过海，到了加拿大；再后来，他恋上了北极。

以前他一直认为去北极不是普通人的事，记者出身的妻子鼓动他说，年轻人自驾都能去，咱们怎么不行？于是，他们出发了。

因纽特人的传奇，是鼓舞他们夫妇勇闯北极的最大动力。一路上，王建男头脑中全是书本中对北极的描述：大约4000年前，最后一批跨过白令海峡的亚裔族群，向美洲进发，途中遭遇印第安人的围堵，最终退进气候恶劣的北极圈，住雪屋、用长矛打

生词 14-2

1. 北极 běijí n. the North Pole
2. 评论 pínglùn v. to comment, to review
3. 典型 diǎnxíng n. typical example, model
4. 考察 kǎochá v. to observe and study, to investigate
5. 访问 fǎngwèn v. to visit, to interview
6. 高峰 gāofēng n. peak, summit, height
7. 毅然 yìrán adv. resolutely, firmly
8. 疲惫 píbèi adj. tired, weary
9. 力所能及 lìsuǒnéngjí in one's power, within one's ability
10. 开拓 kāituò v. to open up, to pioneer, to exploit
11. 职务 zhíwù n. post, position, job
12. 捆绑 kǔnbǎng v. to truss up, to tie up
13. 释放 shìfàng v. to release, to set free
14. 出身 chūshēn n. background, one's previous experience or occupation
15. 鼓动 gǔdòng v. to stir up, to spur, to incite
16. 夫妇 fūfù n. married couple

*17. 头脑 tóunǎo n. brain, mind

18. 遭遇 zāoyù v. to come across, to encounter

猎，他们遇到过想象中难以度过的灾难，最后在饥饿、风暴、严寒中奇迹般地生存下来，成为北极最大的原住民部族……

到了北极，他们惊奇地发现，现实和文字记载中因纽特人的生活差别竟是如此之大：因纽特村落家家屋内温暖如春，家电齐全，户户都能上网；连锁超市里卖的是包装食品，年轻人穿着时髦的衣裳，潇洒而快活。记者的职业本能让王建男产生了这样的冲动：用我的照片让世人知道，北极的过去和现在相差多么遥远。老照片已成为了古董，那时的北极已经不复存在。

从此，王建男不再在意自然风光和千奇百怪的动植物，只专注于人文。他的镜头中有捕捉动物的妇人，有赤道血统的北极姑娘……他的采访专题是“北极人文圈”，他知道抢救因纽特人生活中正在消失的东西刻不容缓。

19. 灾难 zāinàn n. disaster, catastrophe
20. 饥饿 jī'è adj. hungry, starving
21. 风暴 fēngbào n. storm, tempest
22. 严寒 yánhán adj. severe cold
23. 惊奇 jīngqí adj. surprised, amazed
24. 记载 jìzǎi v. to record, to put down in writing
25. 差别 chābié n. difference
26. 连锁 liánsuǒ adj. chain, linkage
27. 包装 bāozhuāng v./n. to pack, to wrap; package, wrapper
28. 衣裳 yīshang n. clothing, clothes
29. 潇洒 xiāosǎ adj. free and elegant
30. 本能 běnnéng n. instinct
31. 冲动 chōngdòng n. impulse
32. 相差 xiāng chà to differ
33. 古董 gǔdǒng n. antique, outdated stuff
34. 在意 zài yì v. to pay attention to, to care about
35. 捕捉 bǔzhuō v. to catch, to seize
36. 赤道 chìdào n. the equator
37. 专题 zhuāntí n. special topic, special subject
38. 抢救 qiǎngjiù v. to rescue, to save
39. 刻不容缓 kèbùrónghuǎn to be extremely urgent, to brook no delay

他和妻子往返北极17次，支出很大，他们处处精打细算，千方百计节省开支，免得多年的储蓄减少得太快，即使穿越辽阔的无人区，他们也只租用最便宜的汽车；发烧、腹泻什么的，也多数是自带药品解决，他们带着饭锅、面条、自制肉酱，时常煮一锅面条，放点儿蔬菜和肉酱，将就将就就是一餐。

日子艰苦是艰苦，可是王建男却很有幸福感，他愿意自己支配自己的生命，执着地要为历史留下些印迹。

改编自《北京晚报》文章《背着电饭锅拍遍北极》，作者：邱伟

40. 支出 zhīchū n. expense, expenditure
41. 精打细算 jīngdǎ-xìsuàn careful calculation and strict budgeting
42. 开支 kāizhī n. expenditure, spending
43. 免得 miǎnde conj. so as to avoid, so as not to
44. 储蓄 chǔxù n. deposit, savings
45. 穿越 chuānyuè v. to pass through, to cut across
46. 腹泻 fùxiè v. to suffer from diarrhea
47. 时常 shícháng adv. often, frequently
48. 将就 jiāngjiu v. to make do with, to put up with
49. 支配 zhīpèi v. to control, to dominate
50. 执着 zhízhuó adj. persistent, persevering

注释（一）综合注释

Notes 1 数量短语的重叠

"一拨拨"是数量短语"一拨"的重叠形式，描写数量很多的样子，但描写的事物需是以个体的方式显现的，因此，它和"很多"的意义、功能有所不同。数词只能用"一"，后一个"一"可以省略。例如：

（1）每天都会有一拨拨同行前来考察访问。

（2）她收集的那一幅幅图片、一本本资料、一盘盘调查录音带，都是不容置疑的铁证。

（3）饭要一口口吃，话要一句句说，事要一件件做。

● **练一练：** 在括号里填上适当的数量短语的重叠形式

（1）他在心里努力搜寻着（　　　　　）能够说服妈妈的理由。

（2）我很希望知道，学校是如何把（　　　　　）十多岁的中学生培养成（　　　　　）能够抗击风浪、展翅高飞的山鹰的。

（3）他所做的（　　　　　）看似平常的小事，感动着身边的每一个人。

2 难以

“难以”，动词，意思是“不容易、很难”。后面一般跟双音节或多音节动词或形容词，不能跟单音节词。用于书面。例如：

（1）事情已经过去好久了，可是每次回想起当时的情景，心情还是难以平静。

（2）这样的假话最好不要说，因为你自己都难以自圆其说，别人怎么能够相信呢？

（3）他们遇到过想象中难以度过的灾难，最后在饥饿、风暴、严寒中奇迹般地生存下来，成为北极最大的原住民部族……

● **练一练：** 为句子选择适当的上句

A. 居然发生了这样的事情

B. 虽然他经历了常人难以忍受的痛苦和艰辛

C. 在老家度过的每一天都很愉快

（1）（　　），至今令人难以忘怀。

（2）（　　），真是令人难以想象！

（3）（　　），他却从未退缩过。

3 免得

“免得”，连词，表示避免出现某种不希望的情况。多用在后一分句。也说“以免”。例如：

（1）今天大家晚点儿走，把活儿都干完，免得明天再来。

（2）自己能做的事就自己做吧，免得麻烦别人。

（3）他和妻子往返北极17次，支出很大，他们处处精打细算，千方百计节省开支，免得多年的储蓄减少得太快。

● **练一练**：完成句子

（1）到了以后来个电话，免得______________。
（2）小声点儿，大伙儿都睡了，免得______________。
（3）麻烦你跟他解释清楚，免得______________。

（二）词语辨析

鼓动——鼓励

	鼓动	鼓励
共同点	都是动词，都可以表示用语言、文字等激发人们的情绪，使人们行动起来。	
	如：在朋友的鼓动/鼓励下，我走上舞台，完成了表演。	
不同点	更侧重于“发动”的意思。后边可以是表示负面意义的行为。	更侧重于“勉励”的意思，后边都是正面行为，不能是负面行为。
	如：在他的鼓动下，那些人参加了非法组织。	如：父母鼓励他坚持下去，最后一定能取得成功。

● **做一做**：判断正误

1. 在她的鼓励下，我把唯一的一份工作也丢了。（　　）
2. 在我快要放弃时，朋友的鼓励给了我勇气。（　　）
3. 他鼓动我买股票，结果赔得干干净净。（　　）
4. 如果不是当初他鼓励我，我也不会像现在这么惨。（　　）

练习 Exercises

1 模仿例子，写出更多的词语

例：专题：话题　主题　问题　题目

北极：______________

开拓：______________

释放：______________

鼓动：______________

2 用所给词语或结构改写句子

❶ 看到祖国需要自己，他毫不犹豫地回国了。（毅然）

____。

❷ 走自己的路，别在乎其他人怎么说。（在意）

____。

❸ 为了不引起误会，我再多说几句。（免得）

____。

❹ 知道我一个人在异国他乡，他常常打电话问候我。（时常）

____。

❺ 条件有限，招待不周，你们凑合着住两天吧。（将就）

____。

❻ 做点儿你能做的事情吧，难度太大的就不要做了。（力所能及）

____。

3 选择合适的词语填空

毅然　捆绑　在意　支配　疲惫

❶ 现代人生活、工作压力都很大，被事业、家庭__________着，身心__________。但大部分人很__________自己已有的一切，没有勇气离开固有的生活圈子。只有少数人会__________决定换一种生活方式，做自己愿意做的事情，自己__________自己的时间和生命。

灾难　记载　刻不容缓　抢救　捕捉

❷ 由于环境污染、全球变暖和人类无节制的__________动物，世界上动物的种类正日益减少，很多动物种群面临__________性的毁灭。有些动物，我们的后代可能只有在文字__________中去了解了。因此，__________正在消失的珍稀动物__________。

4 阅读语段，模仿造句

1. 他先是办了家企业；不久他跨洋过海，到了加拿大；再后来，他恋上了北极。

    大学毕业以后，他先是＿＿＿＿＿＿＿＿；不久＿＿＿＿＿＿＿＿；再后来，＿＿＿＿＿＿＿＿。

2. 他和妻子往返北极17次，支出很大，他们处处精打细算，千方百计节省开支，免得多年的储蓄减少得太快，即使穿越辽阔的无人区，他们也只租用最便宜的汽车。

    因为需要帮助的孩子很多，他们处处＿＿＿＿＿＿＿＿，千方百计＿＿＿＿＿＿＿＿，免得＿＿＿＿＿＿＿＿，即使＿＿＿＿＿＿＿＿，也＿＿＿＿＿＿＿＿。

5 根据提示，简述课文主要内容

简述一下王建男的工作经历。	① 大学毕业做过…… ② 领导的报社成为…… ③ 身心疲惫，毅然决定……
辞职后，王建男有什么经历？	先是……，不久……，再后来……
书中一般是怎样描述北极的？	大约4000年前……，途中遭遇……，最终退进……，住……，用……，……生存下来。
现实的北极是什么样的？	① 屋内…… ② 连锁超市…… ③ 年轻人……
现在，王建男专注于什么事情？	不再在意……，只专注于……，采访专题……
为了节省开支，王建男夫妇采取了什么措施？	处处……，租用……，自带药品，将就将就……

运用 Application

写一写

这篇课文讲述了王建男大学毕业以后的经历，从取得事业成功，到毅然辞职离开，再到恋上北极，他的经历很传奇，也带给人们思考：我们究竟为了什么活着？请参考练习5，把课文缩写成400字左右的短文。

____

____

____

扩展 Expansion

词汇：熟悉下列反义词

贬低	⟷	抬高	全局	⟷	局部
贬义	⟷	褒义	上级	⟷	下级
稠密	⟷	稀疏	上游	⟷	下游
丑恶	⟷	美好	压缩	⟷	扩张
反面	⟷	正面	油腻	⟷	清淡
放大	⟷	缩小	自卑	⟷	自信
奉献	⟷	索取	固体	⟷	液体
宏观	⟷	微观	外向	⟷	内向

15 山脉上的雕刻

Sculptures on the mountain range

热身 Warm-up

1 给下面的词语选择合适的图片。

1. 森林 sēnlín ________
2. 小溪 xiǎo xī ________
3. 山脉 shānmài ________
4. 梯田 tītián ________
5. 峡谷 xiágǔ ________
5. 瀑布 pùbù ________

2 想一想下列词语之间有什么联系。

干	干旱、干燥、干草、干花、干渴、干裂、干枯、风干、晒干、晾干
饮	饮水、饮茶、饮酒、饮料、饮食、冷饮、热饮、畅饮、饮水思源
旧	依旧、仍旧、照旧、古旧、旧书、旧物、旧地、旧居、旧日、旧时、旧式、旧地重游
有	拥有、具有、含有、设有、留有、持有、保有、享有、公有、国有、占有、原有、只有、专有、稀有、私有、富有

课文 Text 山脉上的雕刻（783字） 15-1

2010年中国西南遭遇百年不遇的干旱，耕地上，庄稼枯萎而死，农作物大面积绝收。就在各地旱情严重、人和牲畜饮水都难的时候，滇①南红河哀牢山南部的一片片梯田壮丽依旧，它们依山形而流转，一片片、一层层由半山腰延伸至峡谷，像一张张亮丽的油画，铺天盖地，席卷而至。蔚蓝的天空，漂浮的白云，摇摆的树影，更衬托出梯田的壮美。

我们的车在大山里沿着公路盘旋而行，时而行驶在深深的谷底，时而爬升到海拔一千多米高的山腰。遥望山顶，是大片的森林，峡谷间闪闪发光的是小溪、泉水和瀑布，半山腰是

生词 15-2

1. 山脉 shānmài n. mountain range, mountain chain
2. 雕刻 diāokè v. to carve, to engrave, to sculpt
3. 干旱 gānhàn adj. dry, droughty
4. 耕地 gēngdì n. cultivated land, farmland
5. 庄稼 zhuāngjia n. crops
6. 枯萎 kūwěi adj. withered, shriveled
7. 牲畜 shēngchù n. livestock, domestic animal
* 8. 梯田 tītián n. terraced fields, terrace
9. 壮丽 zhuànglì adj. magnificent, splendid
10. 依旧 yījiù v. as before, as usual, still
11. 峡谷 xiágǔ n. gorge, canyon
12. 铺 pū v. to spread, to pave, to unfold
13. 卷 juǎn v. to sweep along/up, to pull up, to carry along
14. 蔚蓝 wèilán adj. azure, sky blue
15. 漂浮 piāofú v. to float
16. 摇摆 yáobǎi v. to sway, to swing, to waver
17. 衬托 chèntuō v. to set off, to serve as a foil
18. 盘旋 pánxuán v. to spiral, to circle, to wheel
19. 时而 shí'ér adv. sometimes
20. 海拔 hǎibá n. elevation, height above sea level
21. 瀑布 pùbù n. waterfall

① 滇：中国云南省的简称。云南省位于中国西南边疆，省会是昆明。

村子，村子下是如山如海、纵横万里、汹涌而来的梯田。

尽管已目睹这奇迹无数次，但我每次身临其境，都会为哈尼族[②]山民们在这重重叠叠的山脉上雕塑出的美丽画卷而震惊。这是以大地为背景，用生命和毅力雕刻出的杰出作品，它比万里长城更让我震撼，它比历史悠久的宫殿更让我感动。我不禁问自己，这里的人为什么选择了梯田？后来，我在当地听到了一首古老的曲子，歌词的意思是，祖先们只靠打猎过不了日子，光靠采集树果也过不了日子，于是学会了翻地，学会了种植。他们发现种子和水最亲近，喝过水的种子就是金闪闪的稻谷，从此他们再也离不开梯田和水。经过数十代人的锲而不舍，他们终于将一座座大山，雕塑成了梯田。面对大山，山民们没有对抗，而是选择了服从——他们服从自然规律，选择开辟梯田这种农耕方式，最终与大自然和谐相处。

1300多年，山民们用汗水，用心血，用日复一日的辛勤劳动完成了山脉上的雕刻，任何困难也阻拦不了他

22. 纵横 zònghéng adj. vertical and horizontal, in length and breadth
23. 汹涌 xiōngyǒng v. to surge, to be turbulent
24. 目睹 mùdǔ v. to see with one's own eyes, to witness
25. 重叠 chóngdié v. to overlap, to superimpose
26. 雕塑 diāosù v./n. to carve; sculpture
27. 毅力 yìlì n. willpower, perseverance
28. 杰出 jiéchū adj. outstanding, distinguished
29. 震撼 zhènhàn v. to shake, to shock, to stir
30. 宫殿 gōngdiàn n. palace
31. 不禁 bùjīn adv. can't help (doing sth.), can't refrain from
32. 曲子 qǔzi n. tune, melody
33. 采集 cǎijí v. to gather, to collect
34. 种子 zhǒngzi n. seed
35. 稻谷 dàogǔ n. (unhusked) rice
36. 锲而不舍 qiè'érbùshě to stick to sth. with persistence, to work with perseverance
37. 开辟 kāipì v. to open up, to start, to set up
38. 心血 xīnxuè n. painstaking care or effort
39. 辛勤 xīnqín adj. industrious, assiduous
40. 阻拦 zǔlán v. to stop, to block, to obstruct

② 哈尼族：中国少数民族之一，是中国的一个古老的民族。

们。这幅画卷以其宝贵的生态、文化和审美价值，展示着它的罕见和珍稀。

有人说："哈尼梯田的美景让人陶醉，这里的一切无不体现着当地百姓与自然和谐相处的智慧，体现着民众对自身文化和自然环境的尊重。它所蕴含的人与自然高度和谐发展的古老文化特征，正是21世纪人类所追求的一种精神。"

也有人说，哈尼梯田"是人类的宝贵遗产，它向我们证明人类拥有惊人的创造精神"！

改编自《中国国家地理》文章《不仅仅是风景，哀牢山红河哈尼梯田》，作者：李旭

41. 生态 shēngtài n. ecology
42. 审美 shěnměi v. to appreciate beauty
43. 罕见 hǎnjiàn adj. rare, seldom seen
44. 珍稀 zhēnxī adj. rare, valuable
45. 陶醉 táozuì v. to revel in, to be intoxicated
46. 遗产 yíchǎn n. heritage, legacy
47. 拥有 yōngyǒu v. to own, to possess

注释（一）综合注释

Notes 1 时而

"时而"，副词。用于书面。主要有两种用法：

① 两个或两个以上"时而"连用，构成并列复句，表示多种情况交替发生。例如：

（1）我们的车在大山里沿着公路盘旋而行，时而行驶在深深的谷底，时而爬升到海拔一千多米高的山腰。

（2）五彩的蝴蝶颜色鲜艳极了，尤其是在阳光下，时而金黄，时而翠绿，时而由紫变蓝。

② 单用一个。表示某种行为动作不定时地重复发生或出现。多用在动词短语前。例如：

（3）主人去世以后，那狗没有了往日的精神，一点儿东西不吃，时而发出令人伤心的叫声。

（4）女儿第一天上幼儿园回来特别高兴，时而掏出老师奖励的小红花，看后又小心地珍藏起来。

● **练一练**：为句子选择适当的上句或下句

A. 高低不平，延伸到看不到尽头的远方

B. 他的语言来自民间

C. 半天了，他还是拿不定主意

（1）那是一条年久失修的老路，时而土路，时而水泥道，（　　）。

（2）（　　），时而说已经想好了，就这么办，时而又犹豫不决，说还得好好想想。

（3）（　　），时而朴实、自然，时而幽默、生动，有的像政论，有的像诗歌，深受读者喜爱。

2 不禁

"不禁"，副词，意思是"不由自主地、无法控制地"。"不禁"后可以跟动词短语、主谓短语、形容词。例如：

（1）这是以大地为背景，用生命和毅力雕刻出的杰出作品，它比万里长城更让我震撼，它比历史悠久的宫殿更让我感动。我不禁问自己，这里的人为什么选择了梯田？

（2）那是我第一次用汉语演讲，走上讲台，不禁心里有些发慌。

（3）听到这个消息，大家不禁兴奋起来。

● **练一练**：完成句子

（1）听他说得＿＿＿＿＿＿＿＿＿＿＿＿，大家不禁连连点头。

（2）看着电影中父子情深，他不禁＿＿＿＿＿＿＿＿＿＿＿＿。

（3）看到污染的河流，人们不禁要问："＿＿＿＿＿＿＿＿＿＿？"

3 无不

"无不"，副词，意思是"没有一个不、全都"。多用在动词、动词短语前面。用于书面。例如：

（1）坏人受到了应有的惩罚，百姓无不拍手称快。

（2）哈尼梯田的美景让人陶醉，这里的一切无不体现着当地百姓与自然和谐相处的智慧，体现着民众对自身文化和自然环境的尊重。

（3）在社会教育中，人人都是施教者，又都是受教育者；在人们的学习、生活、工作中，任何人的一言一行，一举一动，无不影响着你周围的人们，而你本身也每时每刻都受着别人的影响。

- **练一练**：为“无不”选择适当的位置

（1）A他设计的灯具、家具B和各种装饰品，C造型新颖，D光彩照人。（　　）

（2）他创业其实A只有十多年，但他却能将自己的创业心得B升华，并总结成朴实易懂的语言，C但凡有一些创业体会的人，D在他一针见血的点评中了解到了创业的本质。（　　）

（3）谈起台湾作家李敖，无论是他的敌人还是朋友，A都不得不承认他是当代文坛上的奇人！他一生不仅著作等身，B还是一位多情才子。李敖的情感经历C与他笔下那颇含激情的文章一样，D充满传奇的色彩。（　　）

（二）词语辨析

拥有——具有

	拥有	具有
共同点	都是动词，都含有“有”的意思。但一般不能换用。	
不同点	语义侧重于领有，多指有较多的、宝贵的东西。如：土地、人口、财产、资源、爱、权利等。	语义侧重于存在，多用于抽象事物。如：特色、特点、兴趣、水平、意义等。
	如：我国拥有丰富的水电资源。	如：我喜欢看具有民族风情的电视节目。

- **做一做**：选择“拥有”或“具有”填空

❶ 柴达木盆地______22万平方公里的面积。

❷ 这次改革______划时代的伟大意义。

❸ 每个公民都______选举权和被选举权。

❹ 这项工艺______相当高的技术水准。

练习 Exercises

1 模仿例子，写出更多的词语

例：雕刻：雕塑　雕花　雕像　石雕

枯萎：______

震撼：______

辛勤：______

珍稀：______

2 用所给词语或结构改写句子

❶ 几十年过去了，这个地方还是贫穷落后。（依旧）

______。

❷ 他们玩儿得兴高采烈，一会儿唱歌，一会儿跳舞。（时而……，时而……）

______。

❸ 他患上了一种非常少见的疾病，连最有经验的大夫都感到头疼。

______。（罕见）

❹ 他要做的事情，谁也拦不住，你们就别管他了。（阻拦）

______。

❺ 她亲眼看到自己的家被大火烧掉了，内心非常痛苦。（目睹）

______。

❻ 由于小王做事能坚持到底、不放弃，所以最后取得了成功。

______。（锲而不舍）

3 选择合适的词语填空

庄稼　牲畜　干旱　耕地　枯萎

❶ 连续几个月没下雨，我国西部地区遭遇了几十年不遇的______，______大面积______，人和______饮水困难，旱情十分严重。但勤劳的农民们想方设法从各地运水来浇灌______，使得农作物没有大面积绝收。

珍稀　　审美　　生态　　遗产　　陶醉

② 九寨沟是中国第一个以保护自然风景为主要目的的自然保护区。它像一幅美丽画卷展示在人们面前，令人______。由于风景优美，______环境良好，它获得了“世界自然______”的称号。除了具有很高的______价值，九寨沟还蕴藏着丰富、______的动植物资源。

4 阅读语段，模仿造句

① 尽管已目睹这奇迹无数次，但我每次身临其境，都会为哈尼族的山民们在这重重叠叠的山脉上雕塑出的美丽画卷而震惊。

尽管______________________，但______________________，都______________________。

② 面对大山，山民们没有对抗，而是选择了服从——他们服从自然规律，选择开辟梯田这种农耕方式，最终与大自然和谐相处。

面对______________________，______________________没有______________________，而是选择______________________，最终______________________。

5 根据课文内容回答问题

当中国西南遭遇干旱时，哈尼梯田怎么样？	……壮丽依旧，…… ……的天空，……的白云，……的树影，更衬托出……
描述一下坐在车上遥望梯田时看到的风景。	山顶……，峡谷间……，半山腰……，村子下……
为什么“我”每次目睹哈尼梯田都感到震惊？	这是……的作品，它比长城……，比宫殿……

这里的人为什么选择了梯田？	古老的曲子：…… 经过数十代人的锲而不舍…… ……与大自然和谐相处
哈尼梯田有什么价值？	以其……，展示着……
哈尼梯田体现了什么样的智慧和精神？	体现：和谐相处、对……的尊重。 蕴含：人与自然、人类

运用 Application

写一写

这篇课文介绍了中国云南的哈尼梯田，请模仿课文以“我熟悉的……”为题介绍你所熟悉的一处名胜古迹或自然风景。内容尽量包括“地理位置、周边环境、历史变迁、人文或自然价值”等方面。写一篇不少于400字的文章。

______

______

______

扩展 Expansion

1 病句类型：成分冗余

成分冗余指句子结构已经完整了，句意已经明确了，又多出些不必要的词语，这就形成了成分冗余的病句。例如：

序号	病句	分析
1	*我们班同学，上课的时候，我们都能专心听讲，认真思考问题。	主语重复。应删掉第二个“我们”。

序号	病句	分析
2	*一想起我教过的学生，真的打心眼里舍不得离开这些学生。	宾语重复。可删掉最后的“这些学生”，或改为“他们”。
3	*那个地方谁也都不想去。	副词重复。表示任指的词常用在“也”“都”前面，但“也都”同时出现即为冗余，本句可改为“那个地方谁也不想去。”或者“那个地方谁都不想去。”
4	*我们碰到了一些困难，这个问题短时间内不可能很快得到解决。	状语重复。“短时间内”和“很快”语义重复，删去其中之一即可。
5	*人们如果连续看电视超过四个多小时，就会疲劳。	词义重复。“超过”和“多”重复，删掉其中之一即可。

● **练一练：** 指出下列句子的错误，并提出修改建议

（1）我始终不明白，他为什么要那样做的原因。

（2）凡事要依靠群众，否则只靠自己，什么事也做不成。

（3）经法院审理，违约经营的张某被判赔偿原告经济损失5万多余元。

（4）这幅画是祖上传下来的，出自于名家之手。

（5）根据美国某大学研究所发布的《2013全球幸福指数报告》显示，丹麦成为2013年世界最幸福的国家。

2 词汇

（1）看图片，熟悉下列名词

	泡沫 洗手时一定要把泡沫清洗干净。		**杂技** 表演杂技 我喜欢看杂技表演。
	书法 书法作品 这是一幅书法作品。		**压岁钱** 过春节时，大人要给孩子压岁钱。
	塔 一座塔 远处有一座塔。		**亭子** 一个亭子 河边有一个小亭子。

（2）熟悉下列自然方面的词语

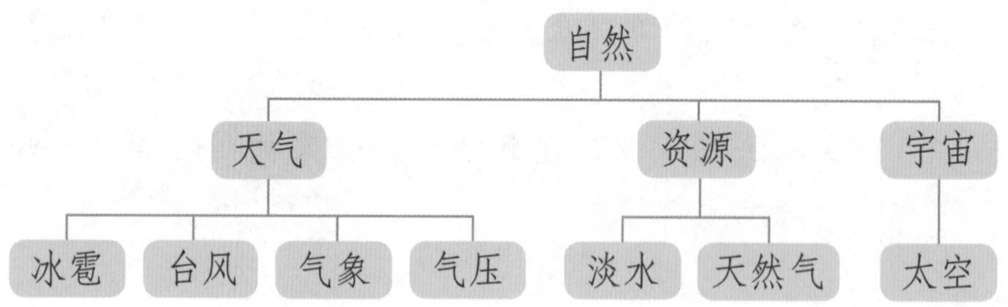

16 徐健和他的野生动物摄影师们

Xu Jian and his team of wildlife photographers

热身 Warm-up

1 看下列图片，熟悉相应的动物的名称。

雪豹
xuěbào

赤斑羚
chìbānlíng

喜马拉雅旱獭
Xǐmǎlāyǎ hàntǎ

藏狐
zànghú

大熊猫
dàxióngmāo

大紫胸鹦鹉
dàzǐxiōngyīngwǔ

藏羚羊
zànglíngyáng

牦牛
máoniú

2 想一想下列词语之间有什么联系。

野	野生、野外、野地、野餐、野花、野草、野菜、野马、野牛、野狗、野猫、野兽、山野、田野
亡	消亡、死亡、灭亡、危亡、兴亡、存亡、伤亡、亡国、亡故、亡友
露	暴露、表露、透露、流露、吐露心声、原形毕露、露头、出头露面、风餐露宿
严	严峻、严厉、严格、严寒、严肃、严正、严办、严明、严冬、严重

课文 Text

徐健和他的野生动物摄影师们（898字）16-1

中国青海①，海拔4500米的山上，3头雪豹正在玩耍。野生动植物摄影师们压抑住兴奋，憋住气，全力拍摄雪豹。拍摄完毕，一回头，发现两只藏在山头的雪豹正瞪着眼睛注视着自己，大家相视而笑。

雪豹，这种皮毛上带着美丽花斑的大型猫科动物正濒临消亡，换句话说，在不久的将来我们很可能再也见不到这种动物。而这些摄影师们是致力于保护野生物种，记录和展示中国生物多样性的"博物学家"。长期风餐露宿在山野，他们不但不觉得苦，反而感到无比的快乐。

徐健是摄影师中的领袖人物，IBE②的创始人，他拿出8张照片，我认识大熊猫、金丝猴、牦牛和雪豹，另外4种辨认不出，据说，它们是藏狐、赤斑羚、藏羚羊和喜马拉雅旱獭。徐健说："我们的现状是，人们能识别长颈鹿、大猩猩、河马，知道它们的来历，却不认识藏羚羊，大家对非洲的动物好像比对我们自己国家的动物更为熟悉。"徐健面带苦涩地说："许多动植物，连一张清楚的照片都没有，大家不认识，怎么指望保护？更严峻的是自然保护区的影像空白，很多特有物种，还没来得及为

生词 16-2

*1. 野生 yěshēng adj. wild, uncultivated
2. 压抑 yāyì v. to constrain, to suppress, to contain
3. 完毕 wánbì v. to finish
4. 瞪 dèng v. to glare, to stare
5. 注视 zhùshì v. to gaze at, to look attentively at
6. 斑 bān n. spot, speckle, mark
7. 濒临 bīnlín v. to be close to, to be on the verge of
8. 致力 zhìlì v. to be devoted to
9. 领袖 lǐngxiù n. leader
10. 辨认 biànrèn v. to recognize, to identify
11. 现状 xiànzhuàng n. current situation, status quo
12. 识别 shíbié v. to distinguish, to identify
13. 来历 láilì n. origin, source, background
14. 苦涩 kǔsè adj. pained, agonized
15. 指望 zhǐwàng v. to look forward to, to count on
16. 严峻 yánjùn adj. severe, grave
17. 空白 kòngbái n. blank space, margin

---

① 青海：中国青藏高原上的重要省份之一，境内山脉高耸，地形多样，河流纵横，湖泊众多，长江、黄河都发源于青海省。

② IBE：影像生物多样性调查所（Imaging Biodiversity Expedition）。

我们所了解，就消失了。”徐健和他的朋友曾苦苦琢磨，怎样为野生动物保护尽一份责任。他们不分昼夜地奔波，渴望拍出足以使人疯狂的照片，吸引大家心甘情愿地去购买，以便支撑他们深入野外的巨大开支，但摄影作品不是畅销书，摄影师报酬很低，这样的想法，几近童话。

于是徐健成立了社会企业IBE，为保护区、政府等各类课题提供服务，他们的工作是建立野生动植物影像库，立体还原一个地区的生态多样性。

IBE的摄影师个个是名副其实的博物学家，不但有高超的摄影技术，还有非同一般的专业素质。他们分散在全国各地，徐健一发出

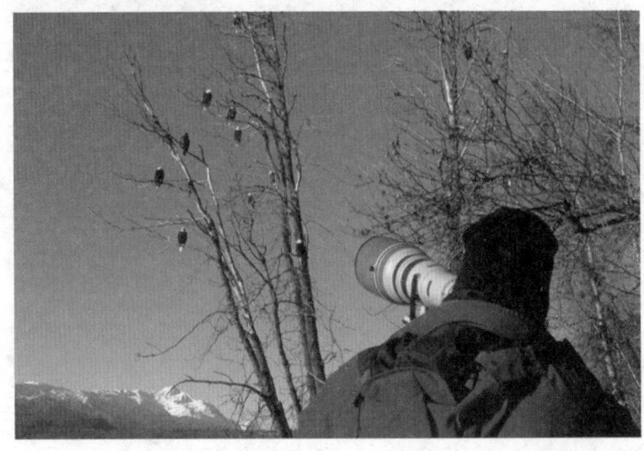

18. 琢磨 zuómo v. to turn sth. over in one's mind, to ponder
19. 昼夜 zhòuyè n. day and night
20. 奔波 bēnbō v. to rush about, to be busy running about
21. 渴望 kěwàng v. to long for, to thirst for
22. 足以 zúyǐ v. to be enough, to be sufficient
23. 心甘情愿 xīngān-qíngyuàn to be most willing to (do sth.), to do sth. gladly
24. 以便 yǐbiàn conj. so that, in order to
25. 支撑 zhīchēng v. to prop up, to sustain, to support
26. 畅销 chàngxiāo v. to sell well, to be in great demand
27. 报酬 bàochou n. pay, remuneration
28. 童话 tónghuà n. fairy tale
29. 课题 kètí n. question or topic for study, issue
30. 立体 lìtǐ adj. three-dimensional, stereoscopic
31. 还原 huán yuán v. to restore to the original state or shape
32. 名副其实 míngfùqíshí to be worthy of the name, to live up to one's reputation
33. 高超 gāochāo adj. superb, excellent
34. 素质 sùzhì n. quality

号召，大家立刻聚在一起。实践证实，这种集合式工作成效显著，用户也很喜欢他们的作品。

IBE的作品带有浓厚的科考性质，每张照片都有详细的数据可供使用，比如精确统计的动物数量。一次在梅里雪山遇见大紫胸鹦鹉群，摄影师在Photoshop上一个一个地数，统计出1500只的精确数据，之后权威专家表示，这是有记录以来，近30年此地区出现的最大规模鹦鹉越冬群。拍摄同时，他们还进行物种鉴别、动物行为分析等。项目结束后，他们还会向当地保护区提交一份环境评估调查报告。

如今，徐健和他的队伍天天在路上忙碌着。

改编自《人物》文章《IBE 挑选摄影师的第一标准 你是不是狂热的 Naturalist？》，作者：衷生

35. 号召 hàozhào v. to call, to appeal
36. 证实 zhèngshí v. to confirm, to verify
37. 成效 chéngxiào n. effect, result
38. 显著 xiǎnzhù adj. conspicuous, notable, striking
39. 用户 yònghù n. user
40. 浓厚 nónghòu adj. strong, pronounced
41. 统计 tǒngjì v. to calculate, to count
42. 权威 quánwēi adj. authoritative
43. 鉴别 jiànbié v. to discern, to distinguish, to identify
44. 评估 pínggū v. to assess, to evaluate
45. 队伍 duìwu n. team, group

注释（一）综合注释

Notes 1 换句话说

“换句话说”，插入语。表示解释说明。例如：

（1）雪豹，这种皮毛上带着美丽花斑的大型猫科动物正濒临消亡，换句话说，在不久的将来我们很可能再也见不到这种动物。

（2）推销产品靠的是广告，但是做广告需要高额资金，这笔广告费最终还是会转嫁到产品上。换句话说，一个产品的广告越多，它的零售价格也会越高。

此类插入语常用的还有“也就是说”“就是说”等。例如：

（3）科学教育多了，人文教育就得少一些；人文教育多了，科学教育就得少一些。也就是说，加强了科学教育就等于挖了人文教育的墙角；加强了人文教育，就等于挖了科学教育的墙角。

（4）每个国家都应与他国和睦相处，尽其该尽的国际义务。就是说，国家拥有主权，但并不是可以为所欲为的。

- **练一练：** 把下列句子中叙述同一事物的两个小句用“换句话说”连接起来，使其成为具有解释说明意义的长句

A. 有人这样说，结婚前要睁大眼睛仔细瞧，结婚后就要睁一只眼闭一只眼

B. 中国古典小说《水浒传》中的武松赤手空拳打死了老虎

C. 现在，世界上每小时就有五千个孩子出生

D. 武松什么武器都没用，就用拳头打死了老虎

E. 婚前要多看看对方的短处，婚后要多想想对方的长处

F. 每天地球上就要多出十二万人

（1）____。

（2）____。

（3）____。

2 为……所……

“为……所……”介绍施事，构成被动句。用于书面。“为……所……”的肯定形式是“为＋名词/名词短语＋所＋动词”。例如：

（1）更严峻的是自然保护区的影像空白，很多特有物种，还没来得及为我们所了解，就消失了。

（2）我们要通过教育，使原来为少数人所掌握的科学知识，在较短的时间内为更多的人所掌握，并不断扩大其传播范围。

“为……所……”的否定形式是“不＋为＋名词/名词短语＋所＋动词”。例如：

（3）他是个有原则的人，绝不会为金钱所惑。

（4）说到那个电影，没有一个人不喜欢，没有一个人不为电影中的人物所感动。

● **练一练**：参考提示词，用“为……所……”完成句子

（1）京酱肉丝这道菜＿＿＿＿＿＿＿＿＿＿。（很多人，称道）

＿＿＿＿＿＿＿＿＿＿＿＿＿＿＿＿＿＿＿＿＿＿。

（2）连日大雪，部分牧民＿＿＿＿＿＿＿＿＿＿，日前，救助他们的队伍已经出发，会给他们带去食品和衣物。（大雪，困）

（3）废气、废水有望真正变废为宝，＿＿＿＿＿＿＿＿＿＿。（人们，利用）

3 足以

“足以”，动词，表示完全可以，完全能够。“足以”后面加动词短语。例如：

（1）他们不分昼夜地奔波，渴望拍出足以使人疯狂的照片，吸引大家心甘情愿地去购买，以便支撑他们深入野外的巨大开支。

（2）对这样的坏人不严惩就不足以平民愤。

（3）跟儿童谈话很讲究技巧，必须随机应变，要能够随时提出足以了解儿童心理状态而又不会引起儿童反感的问题。

● **练一练**：用“足以”改写句子

（1）听说我们一年浪费掉的粮食够50万人吃一天了。

＿＿＿＿＿＿＿＿＿＿＿＿＿＿＿＿＿＿＿＿＿＿。

（2）这些材料完全能够说明问题了。

＿＿＿＿＿＿＿＿＿＿＿＿＿＿＿＿＿＿＿＿＿＿。

（3）哪怕在知识或信息方面只领先或落后几个星期、几天，甚至几个小时，就完全能够使一个企业利润剧增或面临破产。

＿＿＿＿＿＿＿＿＿＿＿＿＿＿＿＿＿＿＿＿＿＿。

（二）词语辨析

以便——便于

	以便	便于
共同点	都有使后边说的目的容易实现的意思。	
	如：大家现在要努力掌握各种相关知识，以便/便于将来更好地工作。	
不同点	1. 连词，只能用于后一小句开头。	1. 动词，可以用于前一小句中。
	如：你先把材料准备好，以便小组开会研究。	如：为了便于管理，我们制定了一些规章制度。
	2. 没有右边这个意思。	2.可以表示“因为自身具备某种条件而达成后边的某种结果或效果”。
		如：这种新型电脑体积小，便于大家携带。

● **做一做**：判断正误

1. 为了以便联系，老师把所有学生的电话制成了一张表。（　　）
2. 你把需要用到的各种食材都准备好，这样便于制作。（　　）
3. 请参加此次活动的人员报一下名，以便我们统计人数。（　　）
4. 场地很大，以便大家开展活动。（　　）

练习 Exercises

1 模仿例子，写出更多的词语

例：来历：经历　历史　简历　学历

濒临：________

领袖：________

识别：________

报酬：________

2 用所给词语完成句子

1. 请在信封上写清地址，________________________。（以便）
2. 他对中国非常了解，是个______________________。（名副其实）
3. 很多年轻人都______________________________。（渴望）
4. 这些事实__________________________________。（足以）
5. 他从小就爱好写作，几十年来他一直________________。（致力于）
6. 孩子长大后都忙于自己的工作，父母________________。（指望）

3 选择合适的词语填空

渴望　　高超　　昼夜　　完毕　　浓厚

1. 一天的工作处理______，她终于可以休息一下了。在不分______的忙碌之外，她非常______拥有一段属于自己的时间。安静地读点儿书，去旅行，或者做自己喜欢做的事情。她对摄影有______的兴趣，而且拍摄技术______，如果有时间，她很想约上几个朋友，一起去野外拍些照片。

童话　　畅销　　足以　　报酬　　心甘情愿

2. 我的朋友是个作家，他写的书很______，自然他得到的______也不少。年轻女孩子喜欢他写的______式的爱情故事，虽然不真实，但______带给人幻想和安慰。所以，每当他的新书出版，他的书迷们都会______起大早排队去购买。

4 将下列句子及其解释连线，并体会插入语的用法

1. 他一个月的工资是我的三倍，也就是说，
2. 他所有的辛劳都是心甘情愿的，换句话说，
3. 他非名牌不穿，就是说，
4. 现在很多年轻人都是“月光族”，也就是说，

A. 到了月底，钱就都花光了。

B. 他一个月的工资相当于我三个月的。

C. 没有人强迫他。

D. 他只穿名牌，不是名牌不穿。

5 根据课文内容回答问题

徐健他们的工作是什么？	❶……摄影师 ❷博物学家
为什么大家对非洲生物的熟悉程度远远大于自己的国家？	影像空白
徐健他们以前希望自己为野生动物拍摄的照片可以怎样？结果呢？	❶吸引……购买 ❷支撑……开支 ❸但……，几近……
IBE的工作内容和工作方式分别是什么？	❶为……提供服务，建……影像库，还原…… ❷分散，号召，聚在一起，集合式工作
为什么说IBE的作品带有浓厚的科考性质？	每张照片都有……可供使用，精确统计……，物种鉴别，动物行为分析，提交……调查报告

运用 Application

写一写

为了保护和宣传野生动物，徐健成立了IBE，专门为野生动物拍照，他们的作品不但摄影技术高超，还带有浓厚的科考性质。请参考练习5，把课文缩写成400字左右的短文。

扩展 Expansion

词汇：熟悉下列近义词

布告——公告
诞辰——生日
发布——公布
范畴——范围
挥霍——浪费
坚固——牢固
奖赏——奖励

恐吓——威胁
谅解——原谅
勉励——鼓励
藐视——蔑视
洽谈——协商
谦逊——谦虚
区分——区别

Unit 5

美丽家园

Our beautiful world

17 小动物眼中的慢世界

The slow world in small animals' eyes

热身 Warm-up

1 结合图片思考下面的问题，选择你认为正确的答案。

人为什么很难一下子拍到苍蝇（cāngying，fly）？

- □ 人太笨了
- □ 苍蝇的视力很好
- □ 苍蝇飞得很快
- □ 苍蝇有预感
- □ 在苍蝇眼里，人的动作太慢了

2 想一想下列词语之间有什么联系。

收	接收、吸收、查收、收入、收到、收据、收发、收看、收留、收录、收取、收集、收听、收养
型	体型、类型、大型、中型、小型、微型、巨型、型号、成型、发型、新型、轻型、血型、原型
感	感知、感受、感觉、感到、灵感、快感、敏感、痛感、同感、预感、语感
率	速率、频率、心率、比率、概率、汇率、利率、出生率、死亡率、就业率、失业率、离婚率

课文 Text 小动物眼中的慢世界（845字） 17-1

你见过这样的场面吗？有人端来一个盛着菜的盘子，立刻飞来一只东张西望的苍蝇，企图落在盘子上，人动手去打，却总是打不中。有人纳闷儿，猫为什么能快速跳跃起来，瞄准都不用，一下就能拍到苍蝇？科学家这样解释：在苍蝇眼里，人类自认为闪电般快速的一拍，只是个慢动作而已。

有研究表明，昆虫这样的小动物，一秒钟之内接收的信息量，比人类等体型大的生物多得多。如果你观察一下鸽子就会发现，当它的视线扫过周边时，它在微微颤抖，看上去好像体内有另外一个钟表，走得比我们快好几倍。确切地说，在小动物看来，人类反应迟钝、动作迟缓，它们看人类，就像人类看庞大、笨拙的大象。

为了量化这种看不见、摸不着的视觉感知，科研人员采用了临界闪光频率的办法。“临界闪光频率”简称“CFF (Critical Flicker Frequency)”，比方说，当一个间隔频率较低的光刺激我们的眼睛时，我们看到的是一明一暗的闪烁，随着光刺激间隔的缩短，我们的视力感到的就会是一个连续的光。CFF值反映的就是眼睛处理光线的速度。处理速度越快，CFF值就越高。

人眼的CFF为60HZ[①]左右，狗，

生词 17-2

1. 场面 chǎngmiàn n. scene, spectacle
2. 端 duān v. to hold (sth.) to level with both hands, to carry
3. 盛 chéng v. to hold, to contain
4. 东张西望 dōng zhāng xī wàng to gaze around, to look about in all directions
5. 企图 qǐtú v. to try, to attempt
6. 动手 dòng shǒu v. to begin/start (to do sth.), to raise a hand to strike or hit
7. 纳闷儿 nà mènr v. to feel puzzled, to wonder
8. 跳跃 tiàoyuè v. to jump, to leap
9. 瞄准 miáo zhǔn v. to take aim, to aim at
10. 鸽子 gēzi n. pigeon, dove
11. 视线 shìxiàn n. line of vision, line of sight
12. 周边 zhōubiān n. surrounding, neighboring
13. 颤抖 chàndǒu v. to tremble, to shiver
14. 确切 quèqiè adj. precise, exact
15. 迟钝 chídùn adj. slow-witted, obtuse
16. 迟缓 chíhuǎn adj. slow, sluggish
17. 庞大 pángdà adj. huge, enormous
18. 笨拙 bènzhuō adj. clumsy, stupid
19. 比方 bǐfang v. to take for instance or example
20. 间隔 jiàngé v. interval, intermission
21. 闪烁 shǎnshuò v. to twinkle, to flicker, to glitter
22. 视力 shìlì n. vision, eyesight

---

① HZ：赫兹（hèzī），频率单位。即每秒的周期性变动重复的次数（周期／秒）。

哦，我们姑且换一个文雅的称呼吧，犬的CFF为80HZ。在犬的眼里，电视画面不是连续的，而是一系列静止图像的迅速变换。苍蝇的CFF高达250HZ，对视觉刺激的反应速度是人眼的4倍。

有科学家推论，物种的CFF与其本身的体重和新陈代谢速率有关。体型越小，信号传达到大脑所需时间越短；新陈代谢速率越高，说明传递过程有更充足的能量支持。在论证这一推论时，科学家筛选出34种动物，把它们的典型体重、代谢速率和CFF标记在同一张图表中，变量显示出了显著的相关性。在科学家的研究中，CFF值名次最靠前的是松鼠。

我们也许曾经发出过这样的感慨：看似渺小的苍蝇既然能躲过人类的攻击，势必有其过人之处。确实，它们没有博大精深的思想，不能进行深奥的思考，对强大的对手无能为力，但对外部环境能迅速做出判断，使它们有了更多的生存机会，这一优势真的实惠极了。

信息处理速度上的差别，也是小动物看上去更敏捷的原因。小猫小狗甚至小孩儿，总显得比成年个体更为好动和焦急，其实对于他们，这只是个悠闲的速度。

改编自《南都周刊》文章《小生灵，慢世界》，作者：石悦

23. 姑且 gūqiě adv. tentatively, for the moment
24. 文雅 wényǎ adj. elegant, refined, polished
25. 犬 quǎn n. dog
26. 系列 xìliè n. series, set
27. 推论 tuīlùn v. to infer, to deduce
28. 本身 běnshēn pron. oneself
29. 新陈代谢 xīnchén-dàixiè metabolism
30. 能量 néngliàng n. energy
31. 论证 lùnzhèng v. to expound and prove
32. 筛选 shāixuǎn v. to screen, to sift, to select
33. 标记 biāojì v. to mark, to label
34. 名次 míngcì n. ranking, place in a competition
35. 感慨 gǎnkǎi v. to sigh with emotion
36. 渺小 miǎoxiǎo adj. tiny, insignificant
37. 攻击 gōngjī v. to attack, to assault
38. 势必 shìbì adv. certainly, surely
39. 博大精深 bódà-jīngshēn extensive and profound
40. 深奥 shēn'ào adj. deep, abstruse, unfathomable
41. 无能为力 wúnéngwéilì helpless, powerless
42. 实惠 shíhuì adj. substantial, practical
43. 个体 gètǐ n. individual
44. 焦急 jiāojí adj. anxious, agitated

注释（一）综合注释

Notes

1 东A西B

“东张西望”是由“东A西B”这个格式形成的，表示“这里……，那里……”。“东、西”后的“A、B”通常是意义相近的词语。例如：

（1）大家吃完饭没事干，只好东拉西扯地闲聊天儿。

（2）有人端来一个盛着菜的盘子，立刻飞来一只东张西望的苍蝇，企图落在盘子上，人动手去打，却总是打不中。

（3）客人还不走，我只好跟他东一句西一句地没话找话说。

● **练一练**：选择合适的词语填空

东拉西扯　　东张西望　　东躲西藏

（1）那孩子像是找不到家了，站在路口，（　　　　），显得有些着急。

（2）黑猫被打败了，被大黄猫追得（　　　　），跳上跳下。

（3）坐在火车上，大家都没事，便天南海北、（　　　　）地闲聊起来。

2 中（zhòng）

①“中（zhòng）”，动词。意思是“正对上、恰好合上”。例如：

（1）有人端来一个盛着菜的盘子，立刻飞来一只东张西望的苍蝇，企图落在盘子上，人动手去打，却总是打不中。

（2）今天的谜语，猜中了有奖。

②“中（zhòng）”做动词意思还可以是“受到、遭受”。例如：

（3）晚上再出去吧，中午太热，小心出门中暑。

（4）这种蘑菇不能吃，吃了会中毒的。

● **练一练**：用带“中”的词语完成句子

（1）他的腿被（　　　　）了，走不了了。

（2）六八年我自学英语，（　　　　）一套英国Longman出版社的《基础英语》，这套书两册是外文原版，两册是国内出的影印版，我就是靠这套书学会了英语。

（3）那是我第一次自己做主买衣服，妈妈陪我左看右看，最后我（　　　　）的竟然是一件白衬衫。

3 姑且

“姑且”，副词，表示不得不在这样的情况下暂时这样，以后再做别的打算，有勉强、让步的意味。例如：

（1）狗，哦，我们姑且换一个文雅的称呼吧，犬的CFF为80HZ。

（2）这件事，你姑且先答应下来，然后再慢慢想办法。

（3）别让你妈妈着急了，你姑且按她说的做吧。

● **练一练**：为括号里的内容选择适当的位置

（1）A 最后怎么处理，B 等我了解了解情况再说 C。（这件事姑且先这么办，）

（2）A 说的随便说说，B 都不必认真 C。（听的姑且听听，）

（3）A 但有一点可以肯定：B 腐败不得人心 C。（他的看法是否正确姑且不论，）

（二）词语辨析

势必——一定

<table>
<tr><th></th><th>势必</th><th>一定</th></tr>
<tr><td rowspan="2">共同点</td><td colspan="2">做副词时，都有“必然会怎样”的意思。</td></tr>
<tr><td colspan="2">如：经常不来上课，势必/一定会影响考试成绩。</td></tr>
<tr><td rowspan="7">不同点</td><td>1. 表示根据事情的发展，推测一定会产生某种结果，结果多是不利的。</td><td>1. 表示推测，但推测结果不一定是不利的。</td></tr>
<tr><td>如：人口过度增长势必影响经济水平的提高。</td><td>如：他是健身教练，身材一定很好。</td></tr>
<tr><td rowspan="2">2. 没有右边这个用法。</td><td>2. 表示态度坚决，常用在动词或助动词“要”“得”前边。</td></tr>
<tr><td>如：要想学好汉语，一定得努力。</td></tr>
<tr><td rowspan="2">3. 没有右边这个用法。</td><td>3. 也可以做形容词，意思是“规定的、确定的”或“固定不变的、必然的”。</td></tr>
<tr><td>如：①要按一定的程序进行操作。
②文章的难易跟篇幅的长短并没有一定的关系。</td></tr>
</table>

● **做一做**：选择“势必”或“一定”填空

1 人人都不遵守交通规则，________会导致交通混乱。
2 这件事就交给你了，你________要把它办好。
3 他学习这么好，________能考上名牌大学。
4 他没日没夜地工作，吃饭睡觉都没有________的时间。

练习 Exercises

1 模仿例子，写出更多的词语

例：跳跃：跳舞　　跳高　　跳远　　跳水

瞄准：________________

视线：________________

周边：________________

迟钝：________________

2 用所给词语完成句子

1 他________________，但他的计划被我识破了。（企图）
2 听说有人找我，________________？（纳闷儿）
3 我非常喜欢运动，________________等等。（比方说）
4 如果你想洗衣服，我这里有台旧洗衣机，你________________。（姑且）
5 不好好发展经济，________________。（势必）
6 看到家乡的巨大变化，________________。（感慨）

3 选择合适的词语填空

东张西望　　确切　　周边　　企图　　动手

1 小偷在________偷东西时，总是先________，看看________有没有人注意自己，当________知道没人注意时，他们再________偷。如果在公共场合看到这样可疑的人，一定要多加小心，注意保管好自己的财物。

无能为力　　本身　　迟钝　　迟缓　　新陈代谢

② 人类跟其他动物一样，随着年龄的增长，反应越来越________，行动越来越________。同样的，我们________的________也逐渐变慢。年轻时，你轻而易举就能做到的动作，到了老年却________了。

4 阅读语段，模仿造句

① 有科学家推论，物种的CFF与其本身的体重和新陈代谢速率有关。体型越小，信号传达到大脑所需时间越短；新陈代谢速率越高，说明传递过程有更充足的能量支持。

有科学家推论，身高与____________有关。父母的__________越__________，孩子的__________越__________，这说明__________是会遗传的。

② 虽然它们没有博大精深的思想，不能进行深奥的思考，对强大的对手无能为力，但对外部环境能迅速做出判断，使它们有了更多的生存机会，这一优势真的实惠极了。

虽然他没有__________，不能__________，对__________无能为力，但__________，使__________有了__________。

5 根据提示，简述课文主要内容

在打苍蝇方面，人和猫有什么不同？为什么？	人：动手、打不中 猫：一下子拍到 在苍蝇眼里、慢动作
昆虫等小动物在接收信息方面跟人类有什么不同？	小动物：接收的信息量……， 比如鸽子…… 人类：反应……、动作……
什么是CFF？	视觉感知、光刺激、闪烁、连续的光、处理光线的速度
人和狗等动物的CFF有何不同？	CFF值：人、犬、苍蝇

CFF与什么有关？	体重、新陈代谢
苍蝇为什么能躲过人类的攻击？	对……做出判断，使……有了生存机会
为什么小动物看上去更敏捷？	信息处理速度

运用 Application

写一写

这篇课文讲了一个很有趣的自然现象，为什么人类打苍蝇很难，小猫却很容易就能抓到苍蝇？这主要是由于一个CFF值在起作用。请参考练习5，把课文缩写成400字左右的短文。

____

____

____

扩展 Expansion

1 病句类型：句式杂糅

同一内容，本来可以采用不同的方式表达，有时说话或写作时却错误地将两种说法糅到一起，就形成了句式或者结构的杂糅。句式混用、结构混用是造成句式杂糅的主要原因。例如：

序号	病句	分析
1	*我发觉，为什么只要你用功成绩就能提高了？	“发觉”后面的宾语，应用陈述语气，却用了疑问语气，这是把两种句子的语气混杂在一起了，应改为“我发觉只要你用功成绩就能提高。”

序号	病句	分析
2	*做了演员以后，她一方面努力提高自己的专业水平，一方面努力提高自己的文化修养也是很重要的。	“她一方面努力提高自己的专业水平，一方面努力提高自己的文化修养”已经表述非常完整了，却又把这句话作为了“也是很重要”的主语，造成了病句。
3	*展览分为地震突袭、抗震救灾、灾后重建、美好家园四部分组成，充分显示了灾区人民不怕困难、自强不息的精神。	“分为……部分”与“由……组成”结构混用，应改为“展览分为地震突袭、抗震救灾、灾后重建、美好家园四部分”或者“展览由地震突袭、抗震救灾、灾后重建、美好家园四部分组成”。
4	*《消费者权益保护法》深受广大消费者所欢迎，因为它使消费者的权益得到最大限度的保护。	“受……（的）欢迎”和表示被动关系的书面语结构“为……所＋V”混用，应改为“《消费者权益保护法》深受广大消费者欢迎”或者“《消费者权益保护法》为广大消费者所欢迎”。
5	*花生在潮湿条件下储存，会生长黄曲霉素，黄曲霉素能够使人致癌。	“黄曲霉素能够致癌”在这里是表意完整准确的句式，却和由“使”构成的兼语句混用，造成语病，应删掉“使人”二字。

● **练一练：**指出下列句子的错误，并提出修改建议

1. 这次参加比赛的，除了本校的学生，还有来自各国的留学生也参加了比赛。

2. 即使我所做的哪怕只给大家带来一点点的快乐，我也会很高兴。

3. 父亲一直想让儿子学门手艺，他认为只要身怀绝技，一辈子才有了铁饭碗。

4. 她为人的正直、诚恳，做事的严谨、认真，在我心里给我留下了深刻的印象。

5. 钱虽然不多，却是我用汗水换来的，拿在手里似乎比从父母那里得到的重得多了。

2 词汇：熟悉下列词语的语素义

导向——导：带领；向：方向

和解——和：放弃矛盾；解：消除

搏斗——搏：对打；斗：对打

保养——保：保护；养：休息，调理

苍白——苍：灰白色；白：白色

腐烂——腐：变坏；烂：因微生物滋生，破坏了机体

陈列——陈：安放；列：排列

表决——表：表示；决：决定

腐蚀——腐：变坏；蚀：损坏

反思——反：回；思：思考

精华——精：完美；华：最好的

罢工——罢：停止；工：工作

18 神奇的丝瓜

The magical towel gourd

热身 Warm-up

1 根据下图选择合适的名称填入相应的位置。

丝瓜（sīguā）　瓜茎（guā jīng）　花瓣（huābàn）
瓜叶（guā yè）　土壤（tǔrǎng）

2 想一想下列词语之间有什么联系。

随	随即、随着、随身、随手、随后、随从、随便、随时、随口、随意、随地、跟随
奇	神奇、好奇、新奇、稀奇、奇怪、奇妙、奇特、奇景、奇谈、奇迹、千奇百怪
转（zhuǎn）	转眼、转身、转头、转脸、转念、转变、转学、转为、转瞬、好转、回转
落	坠落、降落、飘落、掉落、散落、洒落、日落、落后、落下、落花、落叶、落地

课文 Text 神奇的丝瓜（846字） 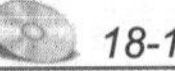 18-1

春天，孩子们在楼旁空地上开出一个小小的花园，随即种上了一棵树、几株花和几粒丝瓜种子。土壤不是很肥沃，但有水的滋润，阳光的照耀，没几天，丝瓜就从土里冒了出来，接着我惊讶地发现，它好像每时每刻都在长大。看着丝瓜，我心中难免不解：古人是怎么想的，愣是编出个拔苗助长的故事来？要是我，宁愿用别的比喻。

不解归不解，我每天工作疲倦了，都要去看看那几棵丝瓜。丝瓜长得很快，转眼间，瓜茎已经爬上了我们这幢楼陡峭的楼墙。接着，它从一楼爬上了二楼，又从二楼爬上了三楼。瓜茎只有细绳一般粗，却能输送足够的水分和养料，使得瓜茎挺拔，叶子茂盛。那覆盖在水泥墙面上的一

生词 18-2

1. 神奇 shénqí adj. magical, miraculous
*2. 丝瓜 sīguā n. towel gourd, sponge gourd
3. 随即 suíjí adv. immediately, presently
4. 株 zhū m. *used for plants and trees*
5. 粒 lì m. *used for granular objects*
6. 土壤 tǔrǎng n. soil
7. 肥沃 féiwò adj. fertile, rich
8. 滋润 zīrùn v. to moisten
9. 照耀 zhàoyào v. to shine, to illuminate
10. 惊讶 jīngyà adj. surprised, astonished
11. 愣 lèng adv. stubbornly, willfully
12. 拔苗助长 bámiáo-zhùzhǎng to pull up seedlings to help them grow, to spoil things by a desire for quick success
13. 宁愿 nìngyuàn adv. would rather
14. 疲倦 píjuàn adj. tired, weary
15. 茎 jīng n. stem
16. 幢 zhuàng m. *used for buildings*
17. 陡峭 dǒuqiào adj. steep, precipitous
18. 挺拔 tǐngbá adj. tall and straight, towering
19. 茂盛 màoshèng adj. luxuriant, exuberant, flourishing
20. 覆盖 fùgài v. to cover
21. 水泥 shuǐní n. cement

片浓绿显得朝气蓬勃，充满了生机与活力。

又过了几天，丝瓜开花了，黄色的花瓣点缀在绿叶之间，颜色协调，柔和精致。再过几天，黄花变成了小小的丝瓜。瓜越长越长，分量也越来越重。它悬挂在空中，细细的瓜茎好像负担不起瓜的重量，时刻都要坠落下来，我的心也变得沉重起来。不久就证明，我的担心是多余的。最初长出来的瓜好像很有节制，长到一定程度就不长了，而三楼那家的窗外，又长出来两个瓜。这两个瓜开始只有小姑娘的辫子一般粗细，不久就长得如小孩臂膀一般粗了。呵，这两个瓜加起来恐怕有五六斤了，那一根细细的茎怎么承担得住呢？我的担心与日俱增。没过几天，我发现我又错了，两个瓜不知什么时候弯了起来，舒舒服服地躺在了那家的窗台上。没几天，那两个大瓜下面的瓜茎末梢上，又长出来一个瓜，垂直地吊在那里，在风中晃来晃去。我断定：这个瓜上面够不到窗台，下面也是空的，总有一天，瓜茎会禁不住瓜的分量，连同上面的两个大瓜一起坠落到地上。这天一早，我却看到了奇迹，那个我断定会坠落下来的瓜，已经躺在了一个凹凸不平的台子上，那个台子是加固墙

22. 朝气蓬勃 zhāoqì péngbó full of youthful spirit
23. 生机 shēngjī n. life, vitality, vigor
24. 花瓣 huābàn n. petal
25. 点缀 diǎnzhuì v. to embellish, to adorn, to decorate
26. 协调 xiétiáo adj. coordinated, harmonious
27. 柔和 róuhé adj. mild, gentle, soft
28. 分量 fènliàng n. weight
29. 悬挂 xuánguà v. to hang, to suspend
30. 负担 fùdān v. to bear, to shoulder
31. 坠 zhuì v. to fall, to drop
32. 沉重 chénzhòng adj. heavy
33. 节制 jiézhì v. to control, to check
34. 辫子 biànzi n. braid, pigtail
35. 臂 bì n. arm
36. 呵 hē int. *(indicating astonishment)* ah, oh
37. 与日俱增 yǔrì-jùzēng to grow with each passing day
38. 梢 shāo n. tip, thin end of a twig
39. 垂直 chuízhí v. to be perpendicular, to be vertical
40. 吊 diào v. to hang, to suspend, to dangle
41. 晃 huàng v. to shake, to sway
42. 断定 duàndìng v. to form a judgment, to conclude
43. 连同 liántóng conj. together with, along with
44. 凹凸 āo tū concave-convex, uneven

体时修建的。

真是不可思议！我徘徊在丝瓜下面，我觉得丝瓜有思想，能考虑问题，而且还有行动。它能让大瓜停止生长；它能给瓜找到承担重量的地方。如果真是这样，丝瓜用什么来思考呢？丝瓜靠什么来指导自己的行动呢？我想了又想，越想越糊涂，而丝瓜却一如既往地含笑面对秋阳。

改编自季羡林同名文章

45. 修建　xiūjiàn　v. to build, to construct

46. 不可思议　bùkě-sīyì　inconceivable, unimaginable

47. 徘徊　páihuái　v. to pace up and down, to walk to and fro

48. 一如既往　yìrú-jìwǎng　as usual, as always

注释（一）综合注释

Notes 1 随即

“随即”，副词，表示紧跟着就发生。例如：

（1）缺乏父母之爱的孩子，不安全感也会随即产生。

（2）在公司的内部会议上，大家对这个产品一致看好，总经理更是信心百倍，随即开始制定市场开拓方案。

（3）春天，孩子们在楼旁空地上开出一个小小的花园，随即种上了一棵树、几株花和几粒丝瓜种子。

● **练一练：** 为“随即”选择适当的位置

（1）他答应 A 了 B 一声，C 把手里的东西 D 递给我。（　　）

（2）他匆匆进了屋，A 说完必要的话之后 B 转身离去，C 根本不顾及对方究竟 D 听懂了多少。（　　）

（3）我亲眼看到，A 一只鸟死了，另外 B 几只衔着那只死鸟飞到附近一个池塘的上空，将它 C 扔进池塘，D 又飞回原地。鸟中的首领哀叫了一阵后，带着队伍在池塘上空盘旋几圈，然后边叫边飞向远处。（　　）

2 宁愿

“宁愿”，副词，用于选择关系的复句。表示比较了利害得失之后，选取一种做法。常用搭配有“宁愿……也要/也不……”。也可以说“宁可”“宁肯”。例如：

（1）我心中难免不解：古人是怎么想的，愣是编出个拔苗助长的故事来？要是我，宁愿用别的比喻。

（2）咱们宁愿多花点儿钱，也要买个质量好的。

（3）他就是这样，宁愿吃苦受累，也决不求人。

● **练一练**：用带“宁愿”的句子回答问题

（1）一个房子条件不错，但到学校需要一个小时；另一个房子条件差些，但五分钟就能走到学校。你选择哪个房子？

______________________________。

（2）坐公共汽车比较舒服，但是路上会堵车，时间没有保证；坐地铁很挤，但是时间有保证。你怎么去？

______________________________。

（3）少睡会儿觉，把作文写完；该睡觉就睡觉，作文不写了。你会怎样？

______________________________。

3 A归A

“A归A”是口语格式，“A”在语义上是与前文相关联的，是前文已经出现或部分出现了的词语，有时是对上文文意的概括，如本课课文中的“不解”就在上文出现过。“A归A”加强让步语意，下文表示意义上的对应和逆转。例如：

（1）不解归不解，我每天工作疲倦了，都要去看看那几棵丝瓜。

（2）老张心里很不满意：大家都有意见，为什么偏叫我去说？不满归不满，老张也只能去，谁让他是长辈呢！

（3）朋友之间，开玩笑归开玩笑，但千万别过了头。

● **练一练**：完成句子。

（1）咱们好归好，你要是做事不公平______________________________。

（2）生气归生气，你______________________________，我还是会帮你的。

（3）喜欢归喜欢，价格那么贵，他还是决定______________________________。

（二）词语辨析

连同——一起

	连同	一起
共同点	都有A和B一同的意思，但“连同”是连词，“一起”是副词，不能换用。	
不同点	连词，“连、和”的意思。常用于两个名词之间。	副词，用于动词前边。
	如：货物连同清单一并送过去。	如：明天你把作业和考试成绩一起带给他吧。

- **做一做**：选择“连同”或“一起”填空

1. 他把上衣______裤子都弄脏了。
2. 下个星期小王去上海出差，你跟他______去吧。
3. 我跟朋友______住在一所离学校很近的公寓里。
4. 到期后，请把借款______利息一并还给我。

练习 Exercises

1 模仿例子，写出更多的词语

例：负担：承担　担任　担当　分担

随即：________________

照耀：________________

疲倦：________________

协调：________________

2 用所给词语改写句子

1. 时间紧迫，你们先走，然后我马上动身。（随即）

________________________________。

2. 这种产品一再降价，可就是卖不动，让人觉得不可思议。（愣）

________________________________。

3. 让我嫁给他，还不如让我一辈子不结婚。（宁愿）

________________________________。

❹ 我敢说这件事肯定是他干的，因为别人没有这个机会。（断定）

____。

❺ 妈妈把午饭和课本一起放进我的书包里了。（连同）

____。

❻ 希望你像以前一样继续关心支持我们。（一如既往）

____。

3 选择合适的词语填空

土壤　　照耀　　花瓣　　粒　　滋润

❶ 找个空闲时间，找一块空地，种上几__________种子。只要有肥沃的________，水的__________，阳光的__________，很快就能发芽开花了。红色的________点缀在绿叶之间，让人看了心情愉快。

断定　　负担　　与日俱增　　惊讶　　疲倦

❷ 这个孩子已经连续十几天没来上课了，我的担心____________，__________他一定是出什么事了。放学后，我来到男孩儿的家，看到了满脸__________的妈妈，她刚看到我时，很__________，随即抱歉地说："最近孩子的父亲因为交通事故去世了，由于___________不起学费，孩子只好退学去打工。"听到这个消息，我的心沉重起来，真希望大家都能伸出温暖的手帮助这个孩子渡过难关。

4 阅读语段，模仿造句

❶ 我心中难免不解：古人是怎么想的，愣是编出个拔苗助长的故事来？要是我，宁愿用别的比喻。不解归不解，我每天工作疲倦了，都要去看看那几棵丝瓜。

我心中难免生气：妈妈是怎么想的，愣是不让我____________，要是我，宁愿______________。生气归生气，我还是______________。

❷ 丝瓜长得很快，转眼间，瓜茎已经爬上了我们这幢楼陡峭的楼墙。接着，它从一楼爬上了二楼，又从二楼爬上了三楼。瓜茎只有细绳一般粗，却能输送足够的水分和养料，使得瓜茎挺拔，叶子茂盛。

孩子长得很快，转眼间，他已经________，接着，他又________。虽然他只有___________，却能____________，使得____________。

5 根据提示，简述课文主要内容

描述一下丝瓜生长的环境。	土壤、水、阳光
说一说丝瓜生长的过程。	种子→从土里冒出来
	瓜茎爬楼
	开花→丝瓜→最初的瓜→后来的两个瓜→最下面的瓜
描述一下“我”对丝瓜担心的过程。	最初长出来的瓜:
	三楼那家窗外的两个瓜:
	两个大瓜瓜茎末梢上长出来的瓜:
丝瓜给“我”什么感觉？	有思想、有行动 靠什么……

运用 Application

写一写

你自己养过花或别的植物吗？请根据自己的经历描述一种植物生长的过程，比如植物的生长环境、生长过程（种下种子、发芽、开花、结果）、植物带给你的感受或启发等。请以“我养过的……”为题，字数不少于400字。

扩展 Expansion

词汇：熟悉下列近义词

简化——精简

觉悟——觉醒

结局——结果

救济——救助

局面——局势

廉洁——清廉

牵制——牵扯

废除——作废

让步——妥协

擅自——私自

生效——有效

盛情——热情

瓦解——分解

慰问——安慰

支援——援助

资助——赞助

19 无阳光的深海世界

The deep sea without sunshine

热身 Warm-up

1 对照图片熟悉下列生物名称。

蛤蜊（géli）

蚌（bàng）

蟹（xiè）

贝壳（bèiké）

红冠蠕虫（hóngguān rúchóng）

2 想一想下列词语之间有什么联系。

疑	质疑、怀疑、多疑、生疑、可疑、无疑、猜疑、疑惑、疑心、疑点、疑难、疑问、半信半疑
地	地壳、地方、地图、地点、地球、地址、地理、地区、地震、当地、陆地、土地、耕地
裂	裂缝、裂开、裂口、裂片、分裂、干裂、破裂、四分五裂
探	探究、探求、探路、探索、探明、探讨、探险、探听、试探

课文 Text 无阳光的深海世界（892字） 19-1

俗话说万物生长靠太阳。人们之所以这样说，是因为历来植物生长离不开阳光，而动物又靠植物维持生命，所以没有阳光，就没有万物，这是众所周知的真理。然而科学家们的深海考察，却向人类早已认定为准则的定义提出了质疑。

潜水到几千米深海底的科学家发现了一个繁殖生命的场所，那里的生物长相古怪，蛤、蚌、蟹、贝壳、红冠蠕虫等等，什么都有。科学家深感诧异：在没有阳光，没有食物，压力又很大的海底，怎么会有这么多生物？它们靠什么生存呢？

回到地面后，科学家取出从深海带回的样品，一股带有刺鼻臭蛋气味的硫化氢[①]气体立即冲了出来，科学家恍然大悟，进而提出了这样的假

生词 19-2

1. 俗话 súhuà n. common saying
2. 历来 lìlái adv. always, all through the ages
3. 维持 wéichí v. to keep, to maintain, to preserve
4. 众所周知 zhòngsuǒzhōuzhī as everyone knows, as is well known
5. 真理 zhēnlǐ n. truth
6. 认定 rèndìng v. to firmly believe, to hold
7. 准则 zhǔnzé n. norm, standard, criterion
8. 定义 dìngyì n. definition
9. 潜水 qiánshuǐ v. to go under water, to dive
10. 繁殖 fánzhí v. to breed, to reproduce, to procreate
11. 场所 chǎngsuǒ n. place, venue
12. 古怪 gǔguài adj. strange, odd, bizarre
13. 贝壳 bèiké n. shell, conch
14. 诧异 chàyì adj. surprised, amazed
15. 样品 yàngpǐn n. sample, specimen
16. 刺 cì v. to irritate, to stimulate
17. 气味 qìwèi n. smell, scent, odor
18. 恍然大悟 huǎngrán dà wù to realize all of a sudden, to suddenly see the light
19. 进而 jìn'ér conj. and then

① 硫化氢：一种易燃的酸性气体，无色，低浓度时有臭鸡蛋气味，有剧毒。硫化氢是一种重要的化学原料。

说——当海水从地壳分裂而成的裂缝渗透到地下时，在高温和高压的作用下，水里所含的硫酸盐[②]转化成了硫化氢，某些细菌借硫化氢代谢变化，吸收温泉的热量得以繁殖。一些小动物靠过滤细菌维持生命，而小动物又成了大动物的食物来源，这样，就构成了一个新的“食物链”。它们靠来自地球内部的热能维持生命，这种程序叫“化学合成”，是生物科学史上的第一次发现。它告诉人类，在没有阳光的条件下，也可能有生命；它启发人们，要解放思想，迈向地球以外，探索生命存在的新路。

据悉，这种细菌忍受高温的本领远远超越了我们的想象，它们能在250摄氏度（250℃）的环境下生存。一般情况下，高于40℃，大部分植物和动物就无法成活；高于65℃，多数细菌会丧失生命，可是，为什么偏偏这种细菌能够存活下来？其中的奥秘到底是什么呢？有人迫不及待地想探究其真相，有人却说，与其把精力用来探索耐高温细菌生命存在的秘密，不如去探索高温和高压下的金星[③]或其他星球上，是否也有生物存在。

20. 分裂 fēnliè v. to split, to divide, to break up
21. 渗透 shèntòu v. to permeate, to seep, to soak
22. 细菌 xìjūn n. bacterium, germ
23. 过滤 guòlǜ v. to filter, to filtrate
24. 来源 láiyuán n. source, origin
25. 合成 héchéng v. to compose, to compound, to synthesize
26. 解放 jiěfàng v. to liberate, to emancipate, to free
27. 迈 mài v. to walk, to step, to stride
28. 探索 tànsuǒ v. to explore, to seek
29. 据悉 jùxī v. it is reported
30. 忍受 rěnshòu v. to bear, to stand, to endure
31. 超越 chāoyuè v. to surpass, to exceed
32. 摄氏度 shèshìdù m. degree centigrade
33. 丧失 sàngshī v. to lose, to forfeit
34. 偏偏 piānpiān adv. only
35. 真相 zhēnxiàng n. fact, truth

② 硫酸盐：是由硫酸根离子（SO_4）与其他金属离子组成的化合物。
③ 金星：太阳系八大行星之一，按离太阳由近及远的顺序排在第二。

不管人类怎么想，这些深海生物依然保持着它们强大而华丽的阵容，有条不紊地过着自己的日子，展现着他们独特的精彩：一丛丛红冠蠕虫，把白色外套管固定在岩石上，保护着自己柔软的身体。它们没有嘴，没有眼，甚至消化系统也不存在，仅靠伸出套管顶端的身体过滤海水中的食物，它们是怎么繁殖后代的呢？体积庞大的巨蛤，造型奇特的白蚌，它们的生理结构，食物基础，甚至它们的门类归属，都使人迷惑不解。这片神秘而广阔的深海世界能为我们提供新的食物资源，成为奇妙的科学研究基地吗？

改编自《神奇动植物之谜》文章《无阳光世界的深海生命》

36. 华丽 huálì adj. magnificent, gorgeous
37. 阵容 zhènróng n. battle array, battle formation
38. 有条不紊 yǒutiáo-bùwěn in apple-pie order, methodically
39. 展现 zhǎnxiàn v. to unfold before one's eyes, to show
40. 丛 cóng m. crowd, collection
41. 体积 tǐjī n. volume, size
42. 造型 zàoxíng n. model, mould, form
43. 迷惑 míhuò v. to puzzle, to confuse, to perplex
44. 广阔 guǎngkuò adj. vast, wide, extensive
45. 奇妙 qímiào adj. wonderful, marvelous
46. 基地 jīdì n. base

注释（一）综合注释

Notes

1 进而

“进而”，连词，用在后一小句，表示在已有的基础上进一步。用于书面。例如：

（1）人是在改造环境的实践中认识环境并接受环境的影响，进而改造自己的。

（2）想象是维持儿童心理健康的重要手段。想象有减轻心理压力，维持心理平衡，进而促进心理健康的作用。

（3）科学家取出从深海带回的样品，一股带有刺鼻臭蛋气味的硫化氢气体立即冲了出来，科学家恍然大悟，进而提出了这样的假说——当海水从地壳分裂而成的裂缝渗透到地下时，在高温和高压的作用下，水里所含的硫酸盐转化成了硫化氢，某些细菌借硫化氢代谢变化，吸收温泉的热量得以繁殖。

● **练一练：**用“进而”改写句子。

（1）新的教学方法要先在个别班级进行实验，之后在全校推广。

____。

（2）要先把原著表达的思想弄清楚，在此基础上，很好地去理解原著。

____

______________________。

（3）据说，著名画家齐白石画虾数十年，到了七十岁时赶上了古人的水平，后来继续努力，超越了古人。

____

______________________。

2 得以

“得以”，动词，意思是“借以达到，借此可以；能够”。上下文多提出能够如此的条件，“得以”后多为实现的结果，也可以是预期的结果。多修饰动词、动词短语，修饰形容词短语的情况较少。用于书面。例如：

（1）在高温和高压的作用下，水里所含的硫酸盐转化成了硫化氢，某些细菌借硫化氢代谢变化，吸收温泉的热量得以繁殖。

（2）警察用最简单易懂的语言，把自首和逃跑的两种结果分析给他听，使他明白，只有自首，才是他和家人得以解脱的唯一途径。

（3）幸亏列车上有位经验丰富的医生，使他得以清醒过来。

● **练一练：**用“得以”改写句子

（1）长寿的一生使他有机会见证中国历史上的伟大年代。

____。

（2）大机器代替了手工工场，科学技术在生产上才能广泛运用。

____。

（3）这个联欢会，希望孩子们能唱的唱，能跳的跳，能写的写，能画的画，就是要让所有孩子的特长都能够发挥出来。

____。

3 偏偏

"偏偏"，副词。主要有两种用法：

①表示主观上故意跟客观要求或客观情况相反。常与"要""不"合用。例如：

（1）那里太危险了，大家都劝他不要去，他偏偏要去。

（2）我爱做的事，偏偏不让我做；我不爱做的事，倒非做不可，真让人生气！

②表示事实与某种愿望、要求、常理正好相反。例如：

（3）30年前我们班那个最不爱说话、最不起眼儿的女生，今天偏偏最成功。

（4）高于40℃，大部分植物和动物就无法成活；高于65℃，多数细菌会丧失生命，可是，为什么偏偏这种细菌能够存活下来？其中的奥秘到底是什么呢？

● **练一练**：完成句子

（1）他从小就喜欢画画儿，也有绘画的天赋，没想到________________________。

（2）去南方旅游的火车票也买了，旅馆也订了，________________________。

（3）跟他说好有急事要联系，可他________________________。

（二）词语辨析

历来——从来

	历来	从来
共同点	都是副词，都表示从过去到现在都是如此。	
	如：我跟他下棋历来/从来都要输的。	
不同点	1. 多用于书面，不用于否定句。	1. 多用于否定句。
	如：我们历来提倡艰苦朴素，反对铺张浪费。	如：我从来不隐瞒自己的观点。
	2. 可修饰单个的双音节动词、形容词。	2. 用于肯定句时，修饰动词短语、形容词短语或小句，一般不修饰单个动词、形容词。
	如：这个人历来忠厚老实，可以信赖。	如：川西平原从来就是物产丰富。

● **做一做**：选择“历来”或“从来”填空

① 爷爷______没有浪费过一点儿粮食。
② 中国西北地区雨量______稀少。
③ 他______心直口快，有什么说什么。
④ 她总是无忧无虑，好像______不知道什么叫烦恼。

练习 Exercises

1 模仿例子，写出更多的词语

例：历来：从来　本来　原来　后来

维持：______

准则：______

场所：______

广阔：______

2 用所给词语完成句子

① 先提出计划，______。（进而）
② 几十年来，______。（忍受）
③ 星期天他来找我，______。（偏偏）
④ 这个地方______。（广阔）
⑤ ______闻名世界。（众所周知）
⑥ 各项工作______。（有条不紊）

3 选择合适的词语填空

俗话　历来　超越　真理　众所周知

① ______说：“独木不成林”，这告诉我们团结的重要性。______，一根筷子很容易折断，可一把筷子就很难折断了，团结能使我们______自身的局限，产生巨大的力量，所以“团结力量大”成为______人们都认可的______。

诧异　偏偏　展现　古怪　恍然大悟

② 今天是周末，可经理________让我去加班，我满肚子不乐意，却也没有办法。在公司门口，居然遇到了几个同事，我很________，问："周末怎么还有这么多人来上班？"而他们看到我，神情都有些________。直到走进办公室，鲜花和蛋糕________在我眼前，同事们唱起了生日歌，我才________，原来今天是我的生日，他们为我准备了一个特别的生日晚会。

4 为括号里的词语选择适当的位置

① A只有B不断努力，C梦想才能D实现。（得以）
② 通过A调查研究B发现问题，C找到D解决问题的方法。（进而）
③ 经过讨论，A大家的意见B都统一了，C可D他不同意。（偏偏）
④ A老校长B重视C学生们的D素质教育。（历来）
⑤ A今年B入境旅游观光的C人数已超过D千万。（据悉）

5 根据提示，简述课文主要内容

为什么说万物生长靠太阳？	① 植物…… ② 动物……
几千米深的海底有生物吗？	① 科学家发现……场所 ② 那里的生物……
深海的生物靠什么生存？	假说：当……时，在……作用下，……转化成了……，……借……变化，吸收……得以……
描述一下深海耐高温细菌忍受高温的本领。	① 这种细菌…… ② 大部分植物和动物…… ③ 多数细菌……
深海中的生物还有什么使人迷惑不解的问题？	① 红冠蠕虫：…… ② 巨蛤、白蚌：……

运用 Application

写一写

这篇文章给我们描述了一个奇妙的深海世界，在没有阳光、压力很大的海底，生活着一群奇特的生物，它们靠什么生存，它们有什么奇特的本领。还有什么人类未知的领域。请参考练习5把课文缩写成400字左右的短文。

____

____

____

扩展 Expansion

1 病句类型：歧义句

正常情况下，一个句子只表达一个意思，如果一个句子在理解上会产生两种或两种以上的可能性，就是歧义句。例如：

序号	病句	分析
1	*上面通知说，让您本周五前去汇报。	“前”做方位词，意思是“星期五之前”；“前”做动词，意思是“前往”，即星期五这一天去汇报。若消除歧义，句子可改为“上面通知说，让您本周五以前去汇报。”或者“上面通知说，让您本周五去汇报。”
2	*那时候我们同在一个城市，我还租了他一套房子呢。	兼有施受意义的词语“租”使本句话有两种理解：“我向他租了一套房子”和“我租给他一套房子”。若消除歧义，句子可改为“我还跟他租了一套房子呢。”或者“我还租给了他一套房子呢。”
3	*几个海归投资的垃圾发电厂很快将要建成投产。	“几个”在句中做定语，可以修饰“海归”，也可修饰“垃圾发电厂”。若消除歧义，可改为“几个海归投资的一座垃圾发电厂很快将要建成投产。”或者“海归投资的几个垃圾发电厂很快将要建成投产。”
4	*医生看到我们非常焦急，连忙把病人的病情告诉我们。	根据停顿不同，有两种理解：“医生看到/我们非常焦急”和“医生看到我们/非常焦急”。若消除歧义，可改为“医生看到我们非常焦急的样子，连忙把病人的病情告诉我们。”或者“医生非常焦急，看到我们，连忙把病人的病情告诉我们。”

序号	病句	分析
5	*我们打败了师大女篮得到了冠军。	句子有两种理解："我们打败了师大女篮/得到了冠军"和"我们打败了/师大女篮得到了冠军"。若消除歧义，可改为"我们打败了师大女篮，得到了冠军。"或者"我们打败了，师大女篮得到了冠军。"

- **练一练**：指出下列句子的错误，并提出修改建议

1. 他背着爸爸和我买下了那栋房子。

2. 这个精致的玩具将作为今晚最受欢迎的客人的礼品送给他。

3. 我的车没有锁，在教室门口放着呢，你去骑吧。

4. 我看见她很高兴，就和她聊了起来。

5. 他借了我两本书还没还呢。

2 词汇：熟悉下列词语搭配

词汇	搭配	例句
附属	附属中学	这所医院附属于医科大学。
杠杆	杠杆作用/经济杠杆	应充分发挥金融机构在经济发展中的杠杆作用。
疙瘩	面疙瘩/线疙瘩	他的眉头皱成了一个大疙瘩。
勾结	暗中勾结	他们勾结在一起，做了不少坏事。
贯彻	贯彻始终	我们公司一直贯彻公平、公正的原则。
混淆	混淆黑白/混淆是非	对和错是不容混淆的。
机械	机械化	这个人做事太机械了，一点儿灵活性都没有。
冷却	自然冷却/冷却剂	岩浆冷却后就成了岩石。
媒介	传播媒介	苍蝇是传染疾病的媒介。
谜语	猜谜语	这个谜语我怎么也猜不出来，你快告诉我吧。
母语	母语教学	我的母语是汉语，你的母语呢？
排练	排练节目	为了这次演出，我们天天认真排练。

20 金鸡窝

The golden henhouse

热身 Warm-up

1 根据下面这幅图，选择合适的词语在短文中填空。

母鸡　鸡仔（zǎi）　鸡窝（wō）　找食　跟随

______旁的草地上，一只______正带着一群小______四处______吃，那些小鸡______妈妈走来走去，可爱极了。

2 想一想下列词语之间有什么联系。

得	得知、得到、得分、得力、得空、得救、得胜、得闲、难得、取得、获得、赢得、求之不得、一举两得
远	久远、长远、深远、遥远、永远、远古、远见、源远流长、为期不远
金	金子、金矿、金块、金条、黄金、纯金、金钱、美金、资金、礼金、租金、押金、奖金、现金、金融
壮	身强力壮、壮大、壮实、粗壮、健壮、精壮、少壮、壮年、茁壮、兵强马壮

课文 Text 金鸡窝（831字）20-1

姥姥住的村东池塘畔有一块椭圆形的大石头。那石头中间凹陷，像个鸡窝，村里人叫它金鸡窝。

金鸡窝外表有些古怪，红色的石头，上面镶嵌着些不同色彩、不同形状、或坚硬或不十分坚硬的小石头，像件工艺品，很是美观别致。

我们小时候都喜欢坐在石头上，把脚浸泡在水里。老人们见了，就会责怪："嗨，坐在金鸡窝上，想干吗呀！"我被说得糊涂，就去问姥姥，这才得知那个久远的传说。

姥爷祖父的祖父宋家有几兄弟，大家起早贪黑，废寝忘食，勤劳加勤俭，日子过得还算富裕。

农历年将近，宋家三祖爷早早下了地，突然看到了一窝小鸡。那小鸡仿佛刚出窝没几天，况且是乌黑乌黑的身子，可爱极了，跟随着母鸡，四处寻觅，像是在找食。

生词 20-2

1. 窝 wō n. nest
2. 畔 pàn n. side, bank
3. 椭圆 tuǒyuán n. ellipse, oval
4. 外表 wàibiǎo n. (outward) appearance, exterior
5. 镶嵌 xiāngqiàn v. to inlay, to set, to mount
6. 坚硬 jiānyìng adj. hard, solid
7. 工艺品 gōngyìpǐn n. artware, handiwork
8. 美观 měiguān adj. beautiful, artistic, pleasing to the eye
9. 别致 biézhì adj. original, novel, exquisite
10. 浸泡 jìnpào v. to soak, to immerse
11. 责怪 zéguài v. to blame
12. 嗨 hēi int. hey
13. 祖父 zǔfù n. (paternal) grandfather
14. 废寝忘食 fèiqǐn-wàngshí (so absorbed or occupied as) to forget all about eating and sleeping
15. 勤俭 qínjiǎn adj. industrious and thrifty
16. 富裕 fùyù adj. well off, well-to-do
17. 农历 nónglì n. lunar calendar
18. 将近 jiāngjìn adv. close to, nearly, approximately
19. 况且 kuàngqiě conj. moreover, besides, in addition
20. 乌黑 wūhēi adj. pitch-black, jet-black
21. 跟随 gēnsuí v. to follow
22. 寻觅 xúnmì v. to seek, to look for

三祖爷颇感诧异，大冬天的，这里离村子又远，分明不该有这么小的鸡仔呀！三祖爷去捉小鸡，小鸡想隐蔽自己，跑着往干草丛里扎。三祖爷顺手拣起一块砖撇过去，一下砸中了一只小鸡。小鸡就地打了个滚，瞬间变成了一块金子。这时候，老母鸡急了，跳起来在三祖爷膝盖下边就是一口，三祖爷疼得要命，哼哼着，路也走不动了，只好拣个树枝当拐杖拄着，一瘸一拐地回了家。

回到家，三祖爷把事情跟家里人一说，大家赶到地里，可怎么也找不着那窝鸡。大家开始在附近挖掘，挖了个大坑，结果还是没有看到鸡，只是挖出了那块像鸡窝一样的大石头。他们把那石头抬回村里，因为形状不规则，派不上什么用场，最后就扔在了池塘边。

三祖爷受伤的腿一直发炎，疼得下不了床。一个身强力壮的小伙子，咋能光躺在床上呢？三祖爷只好用那金子换了钱去看病。还算侥幸，金子换来的钱用完了，三祖爷的腿也好了。三祖爷尝到了久病不愈的滋味，后来逢人就说，真是得不偿失，早知道这样，宁肯当初不搭理那窝小鸡。

三祖爷的故事告诫后人，做人不要欲望太多，不要贪婪。东西不是你

23. 颇 pō adv. quite, rather
24. 分明 fēnmíng adv. clearly, plainly
25. 隐蔽 yǐnbì v. to conceal, to hide
26. 扎 zhā v. to plunge into, to dive into
27. 砖 zhuān n. brick
28. 拣 jiǎn v. to pick, to pick up
29. 撇 piě v. to throw, to fling, to cast
30. 砸 zá v. to pound, to crush, to tamp
31. 膝盖 xīgài n. knee
32. 枝 zhī n. branch, twig
33. 拐杖 guǎizhàng n. crutch, walking stick
34. 拄 zhǔ v. to lean on (a stick, etc.)
35. 瘸 qué v. to limp, to be lame
36. 挖掘 wājué v. to excavate, to unearth
37. 坑 kēng n. pit, hole, hollow
38. 发炎 fāyán v. to be inflamed
39. 咋 zǎ pron. what, how, why
40. 侥幸 jiǎoxìng adj. lucky, by luck
41. 滋味 zīwèi n. taste, flavor
42. 逢 féng v. to meet, to come across
43. 得不偿失 débùchángshī the loss outweighs the gain
44. 宁肯 nìngkěn adv. would rather
45. 告诫 gàojiè v. to warn, to caution, to admonish
46. 欲望 yùwàng n. desire, lust
47. 贪婪 tānlán adj. greedy

的就不要去争夺，就是争来，也守不住。倒不如付出一分努力，得到一分收获，过平稳和顺的日子。

后来，三祖爷的故事传了一代又一代，宋家的子孙也有做了官的，但没有人敢贪污、贿赂、不择手段，因为他们心里都有一个“金鸡窝”。

改编自《北京青年报》同名文章，作者：寒崖

48. 争夺 zhēngduó v. to struggle for, to vie for

49. 贪污 tānwū v. corruption, embezzlement

50. 贿赂 huìlù v. to bribe

51. 不择手段 bùzé-shǒuduàn by fair means or foul, by any kind of means

注释（一）综合注释

Notes 1 况且

“况且”，连词，用在后一分句的开头，表示在已有理由之外，补充追加新的理由。例如：

（1）那小鸡仿佛刚出窝没几天，况且是乌黑乌黑的身子，可爱极了。

（2）这套房子交通方便，附近有书店，况且房租又不贵，真是再合适不过了。

（3）虽然这工作很苦，但我不想离开现在的岗位。原因很简单，我在石油行业工作了20多年，有份难舍的情感，况且我也热爱自己的专业，还想有所成就。

● **练一练**：为括号里的内容选择适当的位置

❶ A 飞行员驾机到目的地时，B 能见度不到500米，C 大大低于规定标准，D 只有4个马灯照明。　（况且该机场没有夜航设备，）

❷ 这次假期我不想去旅行了，A 一来假期短，B 二来车票也不好买，C 我想好好休息休息，复习复习功课，D 也可以在近处玩儿玩儿。　（况且假期过后就是考试，）

③ 毕竟已年过50，A忙了整整三天，B他突然发现自己双腿已无法站稳，C头痛欲裂，D大家赶紧把他送到了医院。

（况且他原本就有心脏病，）

2 大

“大”，形容词，用在某些时令、时间、节日前，表示强调。例如：

（1）他一大清早就不知道忙什么去了。

（2）大周末的，让人家多睡会吧。

（3）三祖爷颇感诧异，大冬天的，这里离村子又远，分明不该有这么小的鸡仔呀！

● **练一练**：下面句子中，指出哪个句子中的“大”和上面讲的意思不一样。

（1）大晴天的，带什么雨伞呀！

（2）大年初一的，也该好好休息休息啦。

（3）哥哥比弟弟大三岁。

3 倒不如

“倒不如”表示在多方面比较之后选择其一。常与“与其”搭配使用。例如：

（1）假期所有的旅游景点都是人山人海，就算能买上车票，也玩儿不好，倒不如在家清清静静看看书，听听音乐。

（2）东西不是你的就不要去争夺。就是争来，也守不住。倒不如付出一分努力，得到一分收获，过平稳和顺的日子。

（3）翻开像册，我不禁肃然起敬，与其说这是一本像册，倒不如说这是他大半生的历史。

● **练一练**：为句子选择适当的位置

A. 与其说大海是一个安静的少女，

B. 与其天天为钱财奔忙，

C. 你有时间去批评人家，

（1）（　　）倒不如过清贫日子。

（2）我渐渐开始明白，要想找出人家的漏洞太容易了，难的是建设一个新的东西出来。（　　）倒不如好好琢磨自己能建设什么。

（3）走向大洋深处，我才发现，（　　）倒不如说是一只凶猛的怪兽。在看似平静的海面下，时时充满着凶险、恐怖，充满着数不清的暗礁、险滩。

（二）词语辨析

将近——将要

	将近	将要
共同点	都是副词，都可以表示快要到某个时间了。	
	如：将近/将要毕业时，他还没找到工作。	
不同点	1. 将近+时间词语/动词/形容词，表示时间上接近。	1. 将要+动词/动词短语/形容词（极少情况），表示不久就要发生某事或产生变化。
	如：① 将近下午四点时，下了一场大雨。 ② 天将近黑了，他怎么还不回来？	如：① 下月三号学校将要举办毕业典礼。 ② 如果这次不成功，下次将要困难得多。
	2. 将近+数量短语，表示数量上快要达到。	2. 没有这个用法。
	如：这本书将近十万字，不过我一天就看完了。	

● **做一做：** 选择“将近”或“将要”填空

❶ 想到今后______在这所名牌大学学习，我心中激动极了。

❷ 中国有______四千年的有文字记载的历史。

❸ 他每天都学习到______半夜，真令人佩服。

❹ 如果经济状况不改善，不少工人______面临失业。

练习 Exercises

1 模仿例子，写出更多的词语

例：欲望：愿望　　希望　　失望　　盼望

富裕：________________

隐蔽：________________

贪婪：________________

争夺：________________

2 用所给词语改写句子

1. 他们夫妻快到40岁才有了这个孩子，所以特别疼爱。（将近）
________________________________。
2. 上海那么大，再说你又不知道地址，怎么能找到他呢？（况且）
________________________________。
3. 他对中国京剧非常感兴趣，所以参加了一个京剧培训班。（颇）
________________________________。
4. 很明显他是喜欢你的，你怎么感觉不到呢？（分明）
________________________________。
5. 假期我们一起去欧洲玩儿一趟，怎么样？（咋）
________________________________。
6. 为了安全，我宁愿绕远儿走大路。（宁肯）
________________________________。

3 选择合适的词语填空

勤俭　　将近　　祖父　　富裕　　废寝忘食

1. 我的________在________三十岁时才找到第一份工作，他很珍惜这个机会，每天________地工作。加上祖母很________，家里的日子渐渐________起来。

坑　　瘸　　膝盖　　扎　　侥幸

2. 上周的一个晚上，我骑着自行车回家，不小心掉进了一个大________，爬起来一看，原来是附近种树的人挖的。________摔破了，手也被________破了，鲜血直流，还算________，骨头没事。我只好推着自行车一________一拐地走回了家。

4 为括号里的词语选择适当的位置

1. A晴天，B你出门时C干吗要D带把雨伞呢？（大）
2. 与其A一个人生气，B不如C找个朋友D说出来更好。（倒）
3. A父亲年龄大了，B身体也不好，C我不放心D他一个人去旅行。（况且）
4. 他A自己吃点儿亏，B也不愿C让朋友D吃亏。（宁肯）
5. 他A朝你这个方向B走来的，C你怎么D没看见他呢？（分明）

5 根据提示，简述课文主要内容

姥姥村里的人把什么称为“金鸡窝”？描述一下金鸡窝的样子。		① 大石头、凹陷、鸟窝 ② 古怪、红色、镶嵌……小石头、像……、美观别致
讲述一下那个久远的传说。	背景	宋家几兄弟、起早贪黑、废寝忘食、勤劳勤俭、日子富裕
	时间	农历年将近
	人物	宋家三祖爷
	事情经过	① 发现一窝小鸡 ② 捉小鸡，小鸡变金子 ③ 三祖爷受伤 ④ 再次找小鸡，没找到，发现大石头 ⑤ 三祖爷治疗受伤的腿
这个故事给人们的启发。		不要欲望太多，不要贪婪

运用 Application

写一写

这篇课文告诉我们这样一个道理"做人不要欲望太多，不要贪婪。东西不是你的就不要去争夺，就是争来，也守不住。倒不如付出一分努力，得到一分收获。"在你们国家也有这样的传说或故事吗？请参照练习5讲一个类似的故事，可以从故事发生的时间、地点、背景、事情经过、给人的启发等几方面来讲述，请以"争来的东西守不住"为题，字数不少于400字。

____

____

____

扩展 Expansion

词汇：看图片，熟悉下列名词

	皮革 皮革包 他在皮革厂工作。		**钻石** 一颗钻石 这件首饰非常昂贵，上面镶满了钻石。
	哨 吹哨 足球场上裁判员吹哨的动作很帅。		**启事** 寻物启事 墙上贴着一张寻物启事。
	油漆 刷油漆 用油漆刷墙。		**炊烟** 傍晚时，村子里家家升起了炊烟。
	证书 荣誉证书 上学期间他获得了不少荣誉证书。		**火焰** 一团火焰 红色的火焰让人感觉很温暖。

词语总表 Vocabulary

词性对照表 Abbreviations of Parts of Speech

词性 Part of Speech	英文简称 Abbreviation	词性 Part of Speech	英文简称 Abbreviation
名词	n.	副词	adv.
动词	v.	介词	prep.
形容词	adj.	连词	conj.
代词	pron.	助词	part.
数词	num.	叹词	int.
量词	m.	拟声词	onom.
数量词	num.-m.	前缀	pref.
能愿动词	mod.	后缀	suf.

生词 New Words

词语 Word/Phrase	拼音 *Pinyin*	词性 Part of Speech	词义 Meaning	课号 Lesson
			A	
安宁	ānníng	adj.	peaceful, tranquil	9
安置	ānzhì	v.	to find a place for, to arrange for	9
案件	ànjiàn	n.	legal case	9
暗示	ànshì	v.	to imply, to hint	12
凹凸	āo tū		concave-convex, uneven	18
熬	áo	v.	to endure, to hold out	2
奥秘	àomì	n.	secret, profound mystery	10
			B	
巴不得	bābudé	v.	to be only too anxious (to do sth.), to be eager	1
疤	bā	n.	scar	8
拔苗助长	bámiáo-zhùzhǎng		to pull up seedlings to help them grow, to spoil things by a desire for quick success	18
摆脱	bǎituō	v.	to get rid of, to break away from	4
拜访	bàifǎng	v.	to pay a visit, to call on	11
拜托	bàituō	v.	to ask a favor of, to request	3
斑	bān	n.	spot, speckle, mark	16

版本	bǎnběn	n.	edition, version	13
伴随	bànsuí	v.	to accompany, to follow	7
绑架	bǎngjià	v.	to kidnap	9
包围	bāowéi	v.	to surround, to encircle	2
包装	bāozhuāng	v./n.	to pack, to wrap; package, wrapper	14
饱和	bǎohé	v.	to be saturated, to be filled	7
饱经沧桑	bǎojīng-cāngsāng		to have witnessed or experienced many changes in life	3
报酬	bàochou	n.	pay, remuneration	16
报警	bào jǐng	v.	to call the police	9
暴露	bàolù	v.	to expose, to reveal	12
悲惨	bēicǎn	adj.	miserable, tragic	4
北极	běijí	n.	the North Pole	14
贝壳	bèiké	n.	shell, conch	19
奔波	bēnbō	v.	to rush about, to be busy running about	16
本能	běnnéng	n.	instinct	14
本身	běnshēn	pron.	oneself	17
本事	běnshi	n.	ability, capability	2
笨拙	bènzhuō	adj.	clumsy, stupid	17
崩溃	bēngkuì	v.	to collapse, to fall apart	5
甭	béng	adv.	don't, needn't	2
蹦	bèng	v.	to leap, to jump	8
比方	bǐfang	v.	to take for instance or example	17
比喻	bǐyù	v.	to draw an analogy, to use a metaphor	8
弊端	bìduān	n.	disadvantage, drawback	5
臂	bì	n.	arm	18
边缘	biānyuán	n.	edge, verge, margin	6
扁	biǎn	adj.	flat	4
变迁	biànqiān	v.	to change, to go through vicissitudes	13
便于	biànyú	v.	to be easy to, to be convenient for	13
遍布	biànbù	v.	to spread all over, to be located everywhere	13
辨认	biànrèn	v.	to recognize, to identify	16
辫子	biànzi	n.	braid, pigtail	18
标记	biāojì	v.	to mark, to label	17
憋	biē	v.	to suppress, to hold back	9

别致	biézhì	adj.	original, novel, exquisite	20
别扭	bièniu	adj.	hard to get along with, on bad terms	1
濒临	bīnlín	v.	to be close to, to be on the verge of	16
并非	bìngfēi	v.	not to be	7
拨	bō	v.	to dial	3
波浪	bōlàng	n.	wave	12
博大精深	bódà-jīngshēn		extensive and profound	17
薄弱	bóruò	adj.	weak, frail	9
捕捉	bǔzhuō	v.	to catch, to seize	14
不顾	búgù	v.	in spite of, regardless of	4
不料	búliào	conj.	unexpectedly, to one's surprise	4
不像话	búxiànghuà	adj.	unreasonable, absurd	6
不得已	bùdéyǐ	adj.	to act against one's will, to have no alternative but (to do sth.)	12
不妨	bùfáng	adv.	there is no harm in, might as well	12
不禁	bùjīn	adv.	can't help (doing sth.), can't refrain from	15
不可思议	bùkě-sīyì		inconceivable, unimaginable	18
不由得	bùyóude	adv.	can't help (doing sth.)	2
不择手段	bùzé-shǒuduàn		by fair means or foul, by any kind of means	20
步伐	bùfá	n.	step, pace	2
部位	bùwèi	n.	(particularly of the human body) part, position	4
		C		
才干	cáigàn	n.	talent, ability	6
裁缝	cáifeng	n.	tailor	3
裁员	cáiyuán	v.	to lay off employees, to downsize	7
采集	cǎijí	v.	to gather, to collect	15
彩票	cǎipiào	n.	lottery ticket	9
参谋	cānmóu	n./v.	adviser; to advise	13
残忍	cánrěn	adj.	cruel, ruthless	4
灿烂	cànlàn	adj.	magnificent, splendid, bright	3
操劳	cāoláo	v.	to work hard	3
操纵	cāozòng	v.	to operate, to control	11
操作	cāozuò	v.	to operate, to manipulate	11
嘈杂	cáozá	adj.	noisy	12
草率	cǎoshuài	adj.	careless, rash	4
策划	cèhuà	v.	to plan, to scheme	5

差别	chābié	n.	difference	14
刹那	chànà	n.	instant, split second	2
诧异	chàyì	adj.	surprised, amazed	19
馋	chán	adj.	greedy, gluttonous	11
缠绕	chánrào	v.	to twine, to wind	4
产业	chǎnyè	n.	industry	13
阐述	chǎnshù	v.	to expound, to set forth	8
颤抖	chàndǒu	v.	to tremble, to shiver	17
尝试	chángshì	v.	to try, to attempt	4
场面	chǎngmiàn	n.	scene, spectacle	17
场所	chǎngsuǒ	n.	place, venue	19
畅销	chàngxiāo	v.	to sell well, to be in great demand	16
超越	chāoyuè	v.	to surpass, to exceed	19
嘲笑	cháoxiào	v.	to ridicule, to make fun of	1
沉重	chénzhòng	adj.	heavy	18
陈述	chénshù	v.	to state, to explain	8
衬托	chèntuō	v.	to set off, to serve as a foil	15
称心如意	chènxīn rúyì		after one's own heart, to one's heart's desire	7
成本	chéngběn	n.	cost	7
成天	chéngtiān	adv.	all day long, all the time	6
成效	chéngxiào	n.	effect, result	16
呈现	chéngxiàn	v.	to present (a certain appearance), to appear	8
承诺	chéngnuò	v.	to promise	4
乘	chéng	prep.	to avail oneself of, to take advantage of	4
盛	chéng	v.	to hold, to contain	17
惩罚	chéngfá	v.	to punish, to penalize	8
吃苦	chī kǔ	v.	to bear hardships, to suffer	2
迟钝	chídùn	adj.	slow-witted, obtuse	17
迟缓	chíhuǎn	adj.	slow, sluggish	17
迟疑	chíyí	adj.	hesitant	3
持久	chíjiǔ	adj.	lasting, enduring	5
赤道	chìdào	n.	the equator	14
冲动	chōngdòng	n.	impulse	14
重叠	chóngdié	v.	to overlap, to superimpose	15
出身	chūshēn	n.	background, one's previous experience or occupation	14

除	chú	prep.	besides, in addition to	7
储存	chǔcún	v.	to store, to lay in/up	11
储蓄	chǔxù	n.	deposit, savings	14
触犯	chùfàn	v.	to offend, to violate	8
穿越	chuānyuè	v.	to pass through, to cut across	14
传达	chuándá	v.	to convey, to deliver	10
传授	chuánshòu	v.	to teach, to impart	6
喘气	chuǎn qì	v.	to breathe deeply, to pant, to gasp	4
创立	chuànglì	v.	to found, to set up	6
创新	chuàngxīn	v.	to bring forth new ideas, to innovate	10
吹牛	chuī niú	v.	to boast, to brag	6
垂直	chuízhí	v.	to be perpendicular, to be vertical	18
纯粹	chúncuì	adv.	solely, purely	13
慈祥	cíxiáng	adj.	(of an elder) kindly, affable	2
雌雄	cíxióng	n.	male and female	12
伺候	cìhou	v.	to serve, to wait upon	9
刺	cì	v.	to irritate, to stimulate	19
丛	cóng	m.	crowd, collection	19
凑合	còuhe	v.	to make do, to do sth. half-heartedly	6
窜	cuàn	v.	to flee, to scurry	4
搓	cuō	v.	to rub with hands	3
挫折	cuòzhé	v.	setback, defeat	7
		D		
搭	dā	v.	to match, to go with	5
搭档	dādàng	n.	partner	6
达成	dáchéng	v.	to reach, to achieve	5
打架	dǎ jià	v.	to fight, to come to blows	1
打量	dǎliang	v.	to look up and down, to size up	3
打猎	dǎ liè	v.	to hunt, to go hunting	4
大不了	dàbuliǎo	adv.	at the worst	6
大伙儿	dàhuǒr	pron.	we all, you all, everybody	1
怠慢	dàimàn	v.	to slight, to cold-shoulder	6
诞生	dànshēng	v.	to be born, to come into existence	10
当初	dāngchū	n.	at the beginning, originally	6
当面	dāngmiàn	adv.	to one's face, in one's presence	1

导航	dǎoháng	v.	to navigate, to pilot	13
倒闭	dǎobì	v.	to go bankrupt, to close down	7
稻谷	dàogǔ	n.	(unhusked) rice	15
得不偿失	débùchángshī		the loss outweighs the gain	20
得力	dé lì	v.	to benefit from	10
等级	děngjí	n.	level, rank	6
瞪	dèng	v.	to glare, to stare	16
抵抗	dǐkàng	v.	to resist, to fight against	4
颠倒	diāndǎo	v.	to invert, to reverse	5
典型	diǎnxíng	n.	typical example, model	14
点缀	diǎnzhuì	v.	to embellish, to adorn, to decorate	18
惦记	diànjì	v.	to keep thinking about, to be concerned about	3
雕刻	diāokè	v.	to carve, to engrave, to sculpt	15
雕塑	diāosù	v./n.	to carve; sculpture	15
吊	diào	v.	to hang, to suspend, to dangle	18
跌	diē	v.	to fall, to tumble	8
盯	dīng	v.	to fix one's eyes on, to stare at	4
定义	dìngyì	n.	definition	19
丢人	diū rén	v.	to be disgraced, to lose face	3
东张西望	dōng zhāng xī wàng		to gaze around, to look about in all directions	17
动静	dòngjing	n.	sound of sth. astir	11
动力	dònglì	n.	motivation, impetus	5
动手	dòngshǒu	v.	to begin/start (to do sth.), to raise a hand to strike or hit	17
动态	dòngtài	n.	motion, behavior	11
栋	dòng	m.	*used for buildings*	5
陡峭	dǒuqiào	adj.	steep, precipitous	18
督促	dūcù	v.	to supervise and urge	1
端	duān	v.	to hold (sth.) to level with both hands, to carry	17
断定	duàndìng	v.	to form a judgment, to conclude	18
队伍	duìwu	n.	team, group	16
对抗	duìkàng	v.	to resist, to oppose	4
顿时	dùnshí	adv.	at once, instantly	2
		E		
而已	éryǐ	part.	nothing more, only	5

F				
发觉	fājué	v.	to find, to realize	4
发行	fāxíng	v.	to issue, to publish, to distribute	13
发炎	fāyán	v.	to be inflamed	20
番	fān	m.	(*used with certain numerals to indicate a process or an action that takes time and effort*) time	3
凡是	fánshì	adv.	every, any, all	10
繁华	fánhuá	adj.	busy, bustling, prosperous	13
繁忙	fánmáng	adj.	busy, bustling	11
繁体字	fántǐzì	n.	traditional Chinese character	13
繁殖	fánzhí	v.	to breed, to reproduce, to procreate	19
反驳	fǎnbó	v.	to refute, to retort	1
反常	fǎncháng	adj.	unusual, abnormal	2
反感	fǎngǎn	adj.	disgusted	5
反问	fǎnwèn	v.	to ask (a question) in reply	1
防止	fángzhǐ	v.	to prevent	9
访问	fǎngwèn	v.	to visit, to interview	14
飞禽走兽	fēiqín zǒushòu		birds and beasts	10
飞跃	fēiyuè	v.	to leap	6
肥沃	féiwò	adj.	fertile, rich	18
废寝忘食	fèiqǐn-wàngshí		(so absorbed or occupied as) to forget all about eating and sleeping	20
肺	fèi	n.	lung	8
沸腾	fèiténg	v.	to boil, to bubble	9
分辨	fēnbiàn	v.	to distinguish, to differentiate	10
分裂	fēnliè	v.	to split, to divide, to break up	19
分明	fēnmíng	adv.	clearly, plainly	20
分散	fēnsàn	v.	to divert, to distract	9
分量	fènliàng	n.	weight	18
愤怒	fènnù	adj.	furious, indignant	4
风暴	fēngbào	n.	storm, tempest	14
风度	fēngdù	n.	demeanor, manner	1
风光	fēngguāng	adj.	grand, impressive	7
风气	fēngqì	n.	general mood, atmosphere	6
风土人情	fēngtǔ rénqíng		local conditions and customs	13

锋利	fēnglì	adj.	sharp, keen	4
逢	féng	v.	to meet, to come across	20
夫妇	fūfù	n.	married couple	14
敷衍	fūyǎn	v.	to be perfunctory, to slight over	6
抚摸	fǔmō	v.	to stroke, to caress	12
辅助	fǔzhù	adj.	auxiliary, subsidiary	12
负担	fùdān	v.	to bear, to shoulder	18
附和	fùhè	v.	to chime in with, to echo	1
富裕	fùyù	adj.	well off, well-to-do	20
腹泻	fùxiè	v.	to suffer from diarrhea	14
覆盖	fùgài	v.	to cover	18
		G		
干旱	gānhàn	adj.	dry, droughty	15
干扰	gānrǎo	v.	to disturb, to interfere	9
感慨	gǎnkǎi	v.	to sigh with emotion	17
感染	gǎnrǎn	v.	to infect, to affect	2
港口	gǎngkǒu	n.	port, harbor	3
高超	gāochāo	adj.	superb, excellent	16
高峰	gāofēng	n.	peak, summit, height	14
稿件	gǎojiàn	n.	manuscript, contribution	2
告诫	gàojiè	v.	to warn, to caution, to admonish	20
鸽子	gēzi	n.	pigeon, dove	17
搁	gē	v.	to put, to place	5
个体	gètǐ	n.	individual	17
各抒己见	gèshū-jǐjiàn		each airs his/her own views, everybody expresses his/her opinions	8
跟前	gēnqián	n.	in front of, close to	2
跟随	gēnsuí	v.	to follow	20
跟踪	gēnzōng	v.	to follow the tracks of, to tail	11
更新	gēngxīn	v.	to regenerate, to renew	8
耕地	gēngdì	n.	cultivated land, farmland	15
工艺品	gōngyìpǐn	n.	artware, handiwork	20
公道	gōngdao	n.	fairness, justice	6
功效	gōngxiào	n.	effect, efficacy	12
攻击	gōngjī	v.	to attack, to assault	17

宫殿	gōngdiàn	n.	palace	15
恭敬	gōngjìng	adj.	respectful, with great respect	11
构思	gòusī	v.	to conceive, to design, to construct	10
孤独	gūdú	adj.	lonely, solitary	2
姑且	gūqiě	adv.	tentatively, for the moment	17
辜负	gūfù	v.	to let down, to fail to live up to	3
古董	gǔdǒng	n.	antique, outdated stuff	14
古怪	gǔguài	adj.	strange, odd, bizarre	19
骨干	gǔgàn	n.	backbone, mainstay	3
鼓动	gǔdòng	v.	to stir up, to spur, to incite	14
固然	gùrán	conj.	admittedly, it is true	5
固有	gùyǒu	adj.	intrinsic, inherent	8
顾虑	gùlǜ	n.	misgiving, worry	7
拐杖	guǎizhàng	n.	crutch, walking stick	20
广阔	guǎngkuò	adj.	vast, wide, extensive	19
规划	guīhuà	v.	to plan	2
跪	guì	v.	to kneel, to go down on one's knees	10
果断	guǒduàn	adj.	resolute, decisive	5
过度	guòdù	adj.	excessive, inordinate	7
过滤	guòlǜ	v.	to filter, to filtrate	19
过于	guòyú	adv.	too, exceedingly	3
		H		
海拔	hǎibá	n.	elevation, height above sea level	15
罕见	hǎnjiàn	adj.	rare, seldom seen	15
毫无	háo wú		not in the least, without	4
号召	hàozhào	v.	to call, to appeal	16
耗费	hàofèi	v.	to use, to consume	4
呵	hē	int.	(*indicating astonishment*) ah, oh	18
合成	héchéng	v.	to compose, to compound, to synthesize	19
和蔼	hé'ǎi	adj.	kindly, amiable	2
和睦	hémù	adj.	harmonious, on good terms	1
和气	héqi	adj.	gentle, kindly	2
和谐	héxié	adj.	harmonious	10
嗨	hēi	int.	hey	20
嘿	hēi	int.	hey	12

恨不得	hènbude	v.	to be anxious to, to be dying or itching to	2
哼	hng	int.	snort, groan	6
轰动	hōngdòng	v.	to cause a sensation, to make a stir	13
吼	hǒu	v.	to shout, to roar	9
后代	hòudài	n.	offspring, posterity	12
呼唤	hūhuàn	v.	to shout, to call out	12
忽略	hūlüè	v.	to ignore, to neglect	1
胡须	húxū	n.	moustache, beard	3
湖泊	húpō	n.	lake	10
花瓣	huābàn	n.	petal	18
华丽	huálì	adj.	magnificent, gorgeous	19
还原	huán yuán	v.	to restore to the original state or shape	16
缓和	huǎnhé	adj.	eased, alleviated, softened	5
患者	huànzhě	n.	patient	12
恍然大悟	huǎngrán dà wù		to realize all of a sudden, to suddenly see the light	19
晃	huàng	v.	to shake, to sway	18
辉煌	huīhuáng	adj.	glorious, splendid	10
回报	huíbào	v.	to repay, to reciprocate	6
悔恨	huǐhèn	v.	to deeply regret, to be filled with remorse	7
贿赂	huìlù	v.	to bribe	20
昏迷	hūnmí	v.	to faint, to be in a coma	8
浑身	húnshēn	n.	all over the body, from head to heel	3
活力	huólì	n.	vigor, vitality	10
火药	huǒyào	n.	gunpowder	5
		J		
饥饿	jī'è	adj.	hungry, starving	14
机构	jīgòu	n.	organization, institution	5
机遇	jīyù	n.	opportunity, luck	7
基地	jīdì	n.	base	19
激情	jīqíng	n.	passion	6
及早	jízǎo	adv.	as soon as possible, before it is too late	7
极端	jíduān	adj.	extreme	8
即便	jíbiàn	conj.	even, even if	10
急切	jíqiè	adj.	eager, impatient	11

急躁	jízào	adj.	irritable, hot-tempered, impatient	7
疾病	jíbìng	n.	disease, illness	12
嫉妒	jídù	v.	to envy, to be jealous	1
给予	jǐyǔ	v.	to give, to offer	12
计较	jìjiào	v.	to keep account of	6
记载	jìzǎi	v.	to record, to put down in writing	14
技巧	jìqiǎo	n.	skill, technique	6
继承	jìchéng	v.	to inherit	10
寂静	jìjìng	adj.	quiet, silent	2
加工	jiā gōng	v.	to process	10
佳肴	jiāyáo	n.	delicious food	1
家伙	jiāhuo	n.	fellow, chap, guy	4
尖端	jiānduān	adj.	most advanced	11
坚硬	jiānyìng	adj.	hard, solid	20
监视	jiānshì	v.	to monitor, to keep watch on	11
拣	jiǎn	v.	to pick, to pick up	20
简体字	jiǎntǐzì	n.	simplified Chinese character	13
简要	jiǎnyào	adj.	brief, concise	13
见多识广	jiàn duō shí guǎng		experienced and knowledgeable	11
见解	jiànjiě	n.	opinion, understanding	8
间隔	jiàngé	v.	interval, intermission	17
鉴别	jiànbié	v.	to discern, to distinguish, to identify	16
鉴于	jiànyú	conj.	in view of, in light of	12
将近	jiāngjìn	adv.	close to, nearly, approximately	20
将就	jiāngjiu	v.	to make do with, to put up with	14
僵硬	jiāngyìng	adj.	stiff, hardened	9
焦急	jiāojí	adj.	anxious, agitated	17
角落	jiǎoluò	n.	corner, nook	11
侥幸	jiǎoxìng	adj.	lucky, by luck	20
教养	jiàoyǎng	n.	breeding, education, culture	11
接连	jiēlián	adv.	in a row, in succession	5
节制	jiézhì	v.	to control, to check	18
杰出	jiéchū	adj.	outstanding, distinguished	15
解除	jiěchú	v.	to relieve, to remove, to dispel	12
解放	jiěfàng	v.	to liberate, to emancipate, to free	19

借助	jièzhù	v.	to have the aid of, to draw support from	5
金融	jīnróng	n.	finance, banking	7
津津有味	jīnjīn yǒu wèi		with relish, with keen pleasure	5
进而	jìn'ér	conj.	and then	19
进化	jìnhuà	v.	to evolve	12
近来	jìnlái	n.	recently, lately	2
浸泡	jìnpào	v.	to soak, to immerse	20
茎	jīng	n.	stem	18
经费	jīngfèi	n.	fund, outlay	13
惊奇	jīngqí	adj.	surprised, amazed	14
惊讶	jīngyà	adj.	surprised, astonished	18
兢兢业业	jīngjīngyèyè	adj.	cautious and conscientious	6
精打细算	jīngdǎ-xìsuàn		careful calculation and strict budgeting	14
精确	jīngquè	adj.	accurate, precise, exact	7
精心	jīngxīn	adj.	meticulous, elaborate	10
精致	jīngzhì	adj.	fine, exquisite, delicate	9
警惕	jǐngtì	v.	to be vigilant, to be on the alert	12
敬业	jìngyè	v.	to dedicate oneself to work	6
镜头	jìngtóu	n.	camera lens; scene, shot	11
就业	jiù yè	v.	to find employment, to get a job	7
就职	jiù zhí	v.	to assume office	6
居住	jūzhù	v.	to live, to dwell	13
局限	júxiàn	v.	to limit, to confine	10
举动	jǔdòng	n.	move, act, activity	11
举世瞩目	jǔshì zhǔmù		to attract worldwide attention, to draw the attention of the world	4
据悉	jùxī	v.	it is reported	19
卷	juǎn	v.	to sweep along/up, to pull up, to carry along	15
决策	juécè	v.	to make a strategic decision	7
君子	jūnzǐ	n.	gentleman, virtuous man	11
		K		
开辟	kāipì	v.	to open, to start, to set up	15
开拓	kāituò	v.	to open up, to pioneer, to exploit	14
开支	kāizhī	n.	expenditure, spending	14
考察	kǎochá	v.	to observe and study, to investigate	14
考古	kǎogǔ	v.	to engage in archeological studies	13

考核	kǎohé	v.	to check, to evaluate sb.'s performance	6
靠拢	kàolǒng	v.	to come close, to approach	12
可恶	kěwù	adj.	hateful, detestable	4
渴望	kěwàng	v.	to long for, to thirst for	16
刻不容缓	kèbùrónghuǎn		to be extremely urgent, to brook no delay	14
客户	kèhù	n.	customer, client	5
课题	kètí	n.	question or topic for study, issue	16
恳切	kěnqiè	adj.	sincere, earnest	5
坑	kēng	n.	pit, hole, hollow	20
空前绝后	kōngqián-juéhòu		unprecedented and unrepeatable	8
空虚	kōngxū	adj.	empty, void	9
恐怖	kǒngbù	adj.	terrible, horrible	9
空白	kòngbái	n.	blank space, margin	16
口气	kǒuqì	n.	manner of speaking, way of speaking	5
口音	kǒuyīn	n.	accent	3
枯萎	kūwěi	adj.	withered, shriveled	15
枯燥	kūzào	adj.	dull, uninteresting	7
苦涩	kǔsè	adj.	pained, agonized	16
跨	kuà	v.	to step, to stride	2
快活	kuàihuo	adj.	happy, jolly, merry	11
宽容	kuānróng	v.	to be tolerant	1
况且	kuàngqiě	conj.	moreover, besides, in addition	20
亏损	kuīsǔn	v.	to suffer losses, to be in deficit	7
捆绑	kǔnbǎng	v.	to truss up, to tie up	14
			L	
来历	láilì	n.	origin, source, background	16
来源	láiyuán	n.	source, origin	19
栏目	lánmù	n.	column (in a newspaper, magazine, etc.)	13
懒惰	lǎnduò	adj.	lazy, indolent	11
狼吞虎咽	lángtūn-hǔyàn		to wolf down, to gobble up	9
唠叨	láodao	v.	to chatter, to be garrulous	2
类似	lèisì	v.	to be similar	7
冷落	lěngluò	v.	to treat coldly, to cold-shoulder	9
愣	lèng	adv.	stubbornly, willfully	18
理所当然	lǐsuǒdāngrán		as a matter of course, naturally	12

力所能及	lìsuǒnéngjí		in one's power, within one's ability	14
历来	lìlái	adv.	always, all through the ages	19
立体	lìtǐ	adj.	three-dimensional, stereoscopic	16
例外	lìwài	n.	exception	11
粒	lì	m.	*used for granular objects*	18
连锁	liánsuǒ	adj.	chain, linkage	14
连同	liántóng	conj.	together with, along with	18
良心	liángxīn	n.	conscience	4
辽阔	liáokuò	adj.	vast, extensive	10
淋	lín	v.	to pour, to drench	11
灵感	línggǎn	n.	inspiration, afflatus	10
灵敏	língmǐn	adj.	sensitive, keen, acute	11
领袖	lǐngxiù	n.	leader	16
溜	liū	v.	to sneak off, to slip away	6
留神	liú shén	v.	to be careful, to look out	4
流浪	liúlàng	v.	to roam about, to lead a vagrant life	11
流露	liúlù	v.	to show unintentionally (one's thoughts or feelings), to reveal involuntarily	3
流氓	liúmáng	n.	rogue, hoodlum, hooligan	4
论证	lùnzhèng	v.	to expound and prove	17
		M		
麻木	mámù	adj.	numb, apathetic	9
码头	mǎtóu	n.	wharf, dock, quay	13
嘛	ma	part.	*indicating that the reason is obvious*	12
迈	mài	v.	to walk, to step, to stride	19
埋怨	mányuàn	v.	to complain, to blame	2
漫长	màncháng	adj.	very long, endless	2
忙碌	mánglù	adj.	busy	6
盲目	mángmù	adj.	blind, aimless	4
茂盛	màoshèng	adj.	luxuriant, exuberant, flourishing	18
美观	měiguān	adj.	beautiful, artistic, pleasing to the eye	20
猛烈	měngliè	adj.	fierce, violent	4
弥补	míbǔ	v.	to make up, to remedy, to offset	9
弥漫	mímàn	v.	to permeate, to spread all over the place	9
迷惑	míhuò	v.	to puzzle, to confuse, to perplex	19

迷人	mírén	adj.	charming, enchanting	11
免得	miǎnde	conj.	so as to avoid, so as not to	14
免疫	miǎnyì	v.	to be immune	7
勉强	miǎnqiǎng	adj.	to manage with an effort, to do with difficulty	5
面貌	miànmào	n.	face, features	8
面子	miànzi	n.	face, reputation	3
描绘	miáohuì	v.	to describe, to depict	12
瞄准	miáozhǔn	v.	to take aim, to aim at	17
渺小	miǎoxiǎo	adj.	tiny, insignificant	17
蔑视	mièshì	v.	to despise, to look down upon	4
敏捷	mǐnjié	adj.	quick, nimble, agile	11
敏锐	mǐnruì	adj.	sharp, acute, keen	7
名次	míngcì	n.	ranking, place in a competition	17
名副其实	míngfùqíshí		to be worthy of the name, to live up to one's reputation	16
明明	míngmíng	adv.	obviously, undoubtedly	6
模样	múyàng	n.	appearance, look	3
莫名其妙	mòmíngqímiào		for no apparent reason, inexplicable	12
模范	mófàn	adj.	model, example	11
目睹	mùdǔ	v.	to see with one's own eyes, to witness	15
目光	mùguāng	n.	expression in one's eyes	2
N				
拿手	náshǒu	adj.	skilled, adept, expert	1
纳闷儿	nà mènr	v.	to feel puzzled, to wonder	17
难得	nándé	adj.	hard to come by, rare	2
内在	nèizài	adj.	inherent, inward, inner	10
能量	néngliàng	n.	energy	17
年度	niándù	n.	year	6
凝视	níngshì	v.	to gaze, to stare	11
宁肯	nìngkěn	adv.	would rather	20
宁愿	nìngyuàn	adv.	would rather	18
农历	nónglì	n.	lunar calendar	20
浓厚	nónghòu	adj.	strong, pronounced	16
奴隶	núlì	n.	slave	9
P				
趴	pā	v.	to lie on one's stomach, to lie prone	11

排斥	páichì	v.	to reject, to repel, to exclude	10
徘徊	páihuái	v.	to pace up and down, to walk to and fro	18
盘旋	pánxuán	v.	to spiral, to circle, to wheel	15
畔	pàn	n.	side, bank	20
庞大	pángdà	adj.	huge, enormous	17
培育	péiyù	v.	to cultivate, to breed	10
配偶	pèi'ǒu	n.	spouse	12
烹饪	pēngrèn	v.	to cook	10
疲惫	píbèi	adj.	tired, weary	14
疲倦	píjuàn	adj.	tired, weary	18
譬如	pìrú	v.	for example, such as	8
偏僻	piānpì	adj.	remote, far-off	13
偏偏	piānpiān	adv.	only	19
片刻	piànkè	n.	short while, moment	2
漂浮	piāofú	v.	to float	15
撇	piě	v.	to throw, to fling, to cast	20
拼命	pīnmìng	adv.	exerting one's utmost, desperately	5
频率	pínlǜ	n.	frequency	10
品种	pǐnzhǒng	n.	variety	10
评估	pínggū	v.	to assess, to evaluate	16
评论	pínglùn	v.	to comment, to review	14
颇	pō	adv.	quite, rather	20
迫不及待	pòbùjídài		too impatient to wait, itching to do sth.	5
扑	pū	v.	to throw oneself on, to pounce on	11
铺	pū	v.	to spread, to pave, to unfold	15
朴实	pǔshí	adj.	sincere, honest	3
瀑布	pùbù	n.	waterfall	15
		Q		
期望	qīwàng	v.	to hope, to expect	3
欺负	qīfu	v.	to bully	6
欺骗	qīpiàn	v.	to deceive, to cheat	3
奇妙	qímiào	adj.	wonderful, marvelous	19
企图	qǐtú	v.	to try, to attempt	17
启蒙	qǐméng	v.	to impart elementary knowledge to beginners, to initiate	1

启示	qǐshì	n.	enlightenment, revelation	1
起初	qǐchū	n.	at first, in the beginning	13
起码	qǐmǎ	adj.	minimum, at least	3
气味	qìwèi	n.	smell, scent, odor	19
器官	qìguān	n.	organ, apparatus	8
恰巧	qiàqiǎo	adv.	by chance	4
千方百计	qiānfāng-bǎijì		by every possible means	13
迁徙	qiānxǐ	v.	to migrate, to move	13
潜水	qiánshuǐ	v.	to go under water, to dive	19
抢救	qiǎngjiù	v.	to rescue, to save	14
强迫	qiǎngpò	v.	to force, to compel	4
锲而不舍	qiè'érbùshě		to stick to sth. with persistence, to work with perseverance	15
侵犯	qīnfàn	v.	to invade, to encroach or infringe on	13
亲密	qīnmì	adj.	close, intimate	1
亲热	qīnrè	adj.	loving, affectionate, intimate	11
勤俭	qínjiǎn	adj.	industrious and thrifty	20
勤劳	qínláo	adj.	diligent, industrious	1
清晨	qīngchén	n.	early morning	3
清洁	qīngjié	v.	to clean	11
清晰	qīngxī	adj.	clear, distinct	10
清醒	qīngxǐng	v.	to regain consciousness, to come to	8
丘陵	qiūlíng	n.	hills	10
区域	qūyù	n.	region, area	10
曲子	qǔzi	n.	tune, melody	15
趣味	qùwèi	n.	interest, delight	13
权衡	quánhéng	v.	to balance, to weigh	5
权威	quánwēi	adj.	authoritative	16
全力以赴	quánlìyǐfù		to go all out, to spare no effort	6
犬	quǎn	n.	dog	17
缺口	quēkǒu	n.	gap, breach, crack	4
缺陷	quēxiàn	n.	defect, flaw	11
瘸	qué	v.	to limp, to be lame	20
确切	quèqiè	adj.	precise, exact	17
确信	quèxìn	v.	to be certain, to be sure	8

R				
嚷	rǎng	v.	to shout, to yell	1
饶恕	ráoshù	v.	to forgive, to pardon	4
惹祸	rě huò	v.	to cause trouble, to incur mischief	12
热泪盈眶	rèlèi yíng kuàng		one's eyes brimming with tears	2
热门	rèmén	n.	in hot demand, popular	7
人格	réngé	n.	personality, moral quality	6
人家	rénjia	pron.	other people, others	1
人间	rénjiān	n.	human world	10
人士	rénshì	n.	personage, person, public figure	13
人性	rénxìng	n.	human nature, humanity	13
忍耐	rěnnài	v.	to restrain oneself, to exercise patience	5
忍受	rěnshòu	v.	to bear, to stand, to endure	19
认定	rèndìng	v.	to firmly believe, to hold	19
认可	rènkě	v.	to accept, to approve	10
仍旧	réngjiù	adv.	still, as ever	3
日益	rìyì	adv.	day by day, increasingly	7
融洽	róngqià	adj.	getting along well, on friendly terms	1
柔和	róuhé	adj.	mild, gentle, soft	18
若干	ruògān	pron.	some, several	13
S				
丧失	sàngshī	v.	to lose, to forfeit	19
啥	shá	pron.	what	5
筛选	shāixuǎn	v.	to screen, to sift, to select	17
山脉	shānmài	n.	mountain range, mountain chain	15
闪烁	shǎnshuò	v.	to twinkle, to flicker, to glitter	17
擅长	shàncháng	v.	to be good at, to be expert in	7
伤脑筋	shāng nǎojīn		to cause sb. enough headache, to bother	7
上任	shàng rèn	v.	to take office	6
梢	shāo	n.	tip, thin end of a twig	18
设想	shèxiǎng	v.	to imagine, to conceive of	8
设置	shèzhì	v.	to set up, to establish	5
涉及	shèjí	v.	to involve, to relate to	5
摄氏度	shèshìdù	m.	degree centigrade	19
绅士	shēnshì	n.	gentleman	1

深奥	shēn'ào	adj.	deep, abstruse, unfathomable	17
深沉	shēnchén	adj.	deep	11
神经	shénjīng	n.	nerve	12
神奇	shénqí	adj.	magical, miraculous	18
审美	shěnměi	v.	to appreciate beauty	15
渗透	shèntòu	v.	to permeate, to seep, to soak	19
生存	shēngcún	v.	to survive, to live	13
生机	shēngjī	n.	life, vitality, vigor	18
生态	shēngtài	n.	ecology	15
生物	shēngwù	n.	living thing, organism	12
牲畜	shēngchù	n.	livestock, domestic animal	15
施展	shīzhǎn	v.	to put to good use, to give full play to	6
十足	shízú	adj.	full, sheer	1
时常	shícháng	adv.	often, frequently	14
时而	shí'ér	adv.	sometimes	15
时光	shíguāng	n.	time	6
时机	shíjī	n.	opportunity	6
识别	shíbié	v.	to distinguish, to identify	16
实惠	shíhuì	adj.	substantial, practical	17
实施	shíshī	v.	to put into effect, to implement	4
实行	shíxíng	v.	to practice, to implement	1
世代	shìdài	n.	long period of time, for generations	12
势必	shìbì	adv.	certainly, surely	17
事业	shìyè	n.	cause, undertaking, career	13
视力	shìlì	n.	vision, eyesight	17
视线	shìxiàn	n.	line of vision, line of sight	17
视野	shìyě	n.	field of vision, view	10
释放	shìfàng	v.	to release, to set free	14
受罪	shòu zuì	v.	to suffer hardships, to have a hard time	9
书籍	shūjí	n.	books	13
竖	shù	v.	to set upright, to put up	12
耍	shuǎ	v.	to play, to behave (in an unsavory manner)	4
爽快	shuǎngkuai	adj.	frank, forthright	1
水泥	shuǐní	n.	cement	18
瞬间	shùnjiān	n.	instant, moment	1

思索	sīsuǒ	v.	to think deeply, to ponder	8
思维	sīwéi	n.	thought, thinking	5
斯文	sīwen	adj.	gentle, refined	3
死亡	sǐwáng	v.	to die	4
四肢	sìzhī	n.	four limbs	9
饲养	sìyǎng	v.	to raise, to rear, to breed	11
俗话	súhuà	n.	common saying	19
素食	sùshí	n.	vegetarian meal	10
素质	sùzhì	n.	quality	16
随即	suíjí	adv.	immediately, presently	18
随意	suíyì	adj.	freely, at will	5
索性	suǒxìng	adv.	might as well, simply	9
T				
踏实	tāshi	adj.	free from anxiety, at peace	9
贪婪	tānlán	adj.	greedy	20
贪污	tānwū	v.	corruption, embezzlement	20
探索	tànsuǒ	v.	to explore, to seek	19
倘若	tǎngruò	conj.	if, supposing	4
滔滔不绝	tāotāo bù jué		to pour out words in a steady flow	1
陶醉	táozuì	v.	to revel in, to be intoxicated	15
淘汰	táotài	v.	to eliminate through selection or competition	12
讨好	tǎo hǎo	v.	to try to please, to curry favor with	1
特长	tècháng	n.	one's strong suit, forte	9
提示	tíshì	v.	to prompt, to point out	12
体积	tǐjī	n.	volume, size	19
体谅	tǐliàng	v.	to show understanding and sympathy, to make allowances	2
体系	tǐxì	n.	system	10
天生	tiānshēng	adj.	inborn, innate	7
调和	tiáohé	v.	to be in harmonious proportion, to blend	10
调料	tiáoliào	n.	seasoning, condiment	10
跳跃	tiàoyuè	v.	to jump, to leap	17
挺拔	tǐngbá	adj.	tall and straight, towering	18
通缉	tōngjī	v.	to order the arrest (of a criminal at large), to list as wanted	8
童话	tónghuà	n.	fairy tale	16

统计	tǒngjì	v.	to calculate, to count	16
统统	tǒngtǒng	adv.	all, completely	11
投诉	tóusù	v.	to complain	6
突破	tūpò	v.	to break through, to make a breakthrough	9
土壤	tǔrǎng	n.	soil	18
团圆	tuányuán	v.	to reunite	2
推测	tuīcè	v.	to infer, to conjecture, to guess	8
推论	tuīlùn	v.	to infer, to deduce	17
脱离	tuōlí	v.	to break away from, to separate oneself from	2
椭圆	tuǒyuán	n.	ellipse, oval	20
		W		
挖掘	wājué	v.	to excavate, to unearth	20
外表	wàibiǎo	n.	(outward) appearance, exterior	20
完毕	wánbì	v.	to finish	16
玩意儿	wányìr	n.	toy, thing	9
往常	wǎngcháng	n.	usually, habitually in the past	9
危机	wēijī	n.	crisis	7
唯独	wéidú	adv.	only, alone	6
维持	wéichí	v.	to keep, to maintain, to preserve	19
卫星	wèixīng	n.	satellite	13
未免	wèimiǎn	adv.	rather, a bit too	4
畏惧	wèijù	v.	to fear, to dread	7
喂	wèi	v.	to feed	11
蔚蓝	wèilán	adj.	azure, sky blue	15
文雅	wényǎ	adj.	elegant, refined, polished	17
问世	wènshì	v.	to be published, to come out	13
窝	wō	n.	nest	20
乌黑	wūhēi	adj.	pitch-black, jet-black	20
无比	wúbǐ	v.	to be incomparable, to be unparalleled	2
无非	wúfēi	adv.	nothing but, no more than	5
无精打采	wújīng-dǎcǎi		listless, in low spirits	2
无能为力	wúnéngwéilì		helpless, powerless	17
无忧无虑	wú yōu wú lǜ		carefree, free from anxieties	8
务必	wùbì	adv.	must, to be sure to	12
误差	wùchā	n.	error	11

X				
夕阳	xīyáng	n.	setting sun	4
昔日	xīrì	n.	bygone days, former times	7
溪	xī	n.	small stream, brook	10
膝盖	xīgài	n.	knee	20
习俗	xísú	n.	custom	13
袭击	xíjī	v.	to attack, to assault	9
喜悦	xǐyuè	adj.	delightful, joyous	3
系列	xìliè	n.	series, set	17
细菌	xìjūn	n.	bacterium, germ	19
峡谷	xiágǔ	n.	gorge, canyon	15
鲜明	xiānmíng	adj.	clear-cut, distinct	10
显著	xiǎnzhù	adj.	conspicuous, notable, striking	16
现状	xiànzhuàng	n.	current situation, status quo	16
陷入	xiànrù	v.	to be immersed in, to be lost in	8
馅儿	xiànr	n.	filling, stuffing	3
乡镇	xiāngzhèn	n.	small town	3
相差	xiāng chà		to differ	14
镶嵌	xiāngqiàn	v.	to inlay, to set, to mount	20
想方设法	xiǎngfāng-shèfǎ		to try every means, to do everything possible	6
向导	xiàngdǎo	n.	guide	13
向往	xiàngwǎng	v.	to yearn for, to look forward to	2
消耗	xiāohào	v.	to consume, to expend	9
潇洒	xiāosǎ	adj.	free and elegant	14
小心翼翼	xiǎoxīn-yìyì		with utmost care, gingerly	3
协调	xiétiáo	adj.	coordinated, harmonious	18
携带	xiédài	v.	to carry, to bring along	13
心甘情愿	xīngān-qíngyuàn		to be most willing to (do sth.), to do sth. gladly	16
心灵	xīnlíng	n.	heart, soul	7
心疼	xīnténg	v.	to feel painful, to be tormented	2
心血	xīnxuè	n.	painstaking care or effort	15
心眼儿	xīnyǎnr	n.	intention, heart	3
辛勤	xīnqín	adj.	industrious, assiduous	15
欣慰	xīnwèi	adj.	gratified, satisfied	2
新陈代谢	xīnchén-dàixiè		metabolism	17

薪水	xīnshui	n.	salary, pay	5
信誉	xìnyù	n.	credit, reputation	3
形态	xíngtài	n.	form, shape, pattern	10
兴高采烈	xìnggāo-cǎilièin		in high spirits, cheerful	9
兴致勃勃	xìngzhì bóbó		full of enthusiasm, in high spirits	5
性命	xìngmìng	n.	life	8
汹涌	xiōngyǒng	v.	to surge, to be turbulent	15
修建	xiūjiàn	v.	to build, to construct	18
修养	xiūyǎng	n.	self-cultivation	5
嗅觉	xiùjué	n.	sense of smell, olfaction	11
序言	xùyán	n.	preface, foreword	13
悬挂	xuánguà	v.	to hang, to suspend	18
炫耀	xuànyào	v.	to flaunt, to show off	3
学说	xuéshuō	n.	theory, doctrine	8
学位	xuéwèi	n.	academic degree	3
寻觅	xúnmì	v.	to seek, to look for	20
			Y	
压抑	yāyì	v.	to constrain, to suppress, to contain	16
鸦雀无声	yāquè-wúshēng		in utter silence	1
延伸	yánshēn	v.	to extend, to stretch	13
延续	yánxù	v.	to continue, to last	12
严寒	yánhán	adj.	severe cold	14
严峻	yánjùn	adj.	severe, grave	16
严厉	yánlì	adj.	stern, severe	1
言论	yánlùn	n.	opinion on public affairs, speech	8
岩石	yánshí	n.	rock	12
沿海	yánhǎi	n.	along the coast, coastal	13
掩盖	yǎngài	v.	to cover, to conceal	8
掩饰	yǎnshì	v.	to cover up, to conceal	2
眼光	yǎnguāng	n.	look in one's eyes	4
眼色	yǎnsè	n.	meaningful glance, wink	6
演变	yǎnbiàn	v.	to change, to evolve	8
厌恶	yànwù	v.	to detest, to loathe	4
样品	yàngpǐn	n.	sample, specimen	19
摇摆	yáobǎi	v.	to sway, to swing, to waver	15

摇滚	yáogǔn	n.	rock and roll	9
遥控	yáokòng	v.	to remotely control	11
遥远	yáoyuǎn	adj.	far, distant, remote	8
要命	yào mìng	v.	to an extreme degree, extremely	9
一流	yīliú	adj.	first-class	3
一度	yídù	adv.	once, for a time	13
一向	yíxiàng	adv.	all along, always	13
一举两得	yìjǔ-liǎngdé		to serve two purposes at once, to kill two birds with one stone	9
一如既往	yìrú-jìwǎng		as usual, as always	18
衣裳	yīshang	n.	clothing, clothes	14
依旧	yījiù	v.	as before, as usual, still	15
依靠	yīkào	v.	to rely on, to depend on	5
遗产	yíchǎn	n.	heritage, legacy	15
遗留	yíliú	v.	to leave behind, to hand down	12
疑惑	yíhuò	n.	doubt, confusion	1
以便	yǐbiàn	conj.	so that, in order to	16
以至	yǐzhì	conj.	to such an extent as to…, so…that	10
以致	yǐzhì	conj.	consequently, as a result	7
异常	yìcháng	adv.	extremely, particularly	1
意识	yìshí	v.	to realize, to be aware	1
意味着	yìwèizhe	v.	to mean, to imply	7
意志	yìzhì	n.	will, willpower	7
毅力	yìlì	n.	willpower, perseverance	15
毅然	yìrán	adv.	resolutely, firmly	14
饮食	yǐnshí	n.	food and drink, diet	10
隐蔽	yǐnbì	v.	to conceal, to hide	20
隐瞒	yǐnmán	v.	to hide, to conceal	2
隐私	yǐnsī	n.	privacy	5
隐约	yǐnyuē	adj.	indistinct, faint, vague	3
英明	yīngmíng	adj.	wise, brilliant	7
婴儿	yīng'ér	n.	baby, infant	8
迎面	yíngmiàn	adv.	head-on, face to face	3
盈利	yínglì	v.	to make a profit	7
拥有	yōngyǒu	v.	to own, to possess	15

勇于	yǒngyú	v.	to be brave in, to have the courage to	7
用户	yònghù	n.	user	16
优异	yōuyì	adj.	superb, excellent, outstanding	10
忧郁	yōuyù	adj.	melancholy, heavy-hearted	8
犹如	yóurú	v.	to be like, to seem as if	13
有条不紊	yǒutiáo-bùwěn		in apple-pie order, methodically	19
诱惑	yòuhuò	v.	to entice, to temp	2
愚蠢	yúchǔn	adj.	stupid, foolish	4
与日俱增	yǔrì-jùzēng		to grow with each passing day	18
预算	yùsuàn	v./n.	budget	13
欲望	yùwàng	n.	desire, lust	20
愈	yù	adj.	cured, healed	12
元素	yuánsù	n.	element	10
原始	yuánshǐ	adj.	primeval, primitive	12
原先	yuánxiān	n.	former, original	3
约束	yuēshù	v.	to keep within bounds, to restrain	1
运行	yùnxíng	v.	to run, to operate, to be in motion	7
酝酿	yùnniàng	v.	to brew, to ferment, to deliberate (upon)	2
蕴藏	yùncáng	v.	to contain, to hold in store	10
		Z		
砸	zá	v.	to pound, to crush, to tamp	20
咋	zǎ	pron.	what, how, why	20
灾难	zāinàn	n.	disaster, catastrophe	14
栽培	zāipéi	v.	to cultivate, to grow	10
在意	zàiyì	v.	to pay attention to, to care about	14
遭遇	zāoyù	v.	to come across, to encounter	14
造型	zàoxíng	n.	model, mould, form	19
噪音	zàoyīn	n.	noise	12
责怪	zéguài	v.	to blame	20
扎	zhā	v.	to plunge into, to dive into	20
眨	zhǎ	v.	to blink, to wink	9
斩钉截铁	zhǎndīng-jiétiě		firm and decisive	5
展示	zhǎnshì	v.	to show, to display	6
展现	zhǎnxiàn	v.	to unfold before one's eyes, to show	19
崭新	zhǎnxīn	adj.	brand-new, wholly new	8

帐篷	zhàngpeng	n.	tent	13
障碍	zhàng'ài	n.	obstacle, barrier, impediment	12
朝气蓬勃	zhāoqì péngbó		full of youthful spirit	18
照样	zhàoyàng	adv.	in the same way, all the same	10
照耀	zhàoyào	v.	to shine, to illuminate	18
折	zhé	v.	to fold	10
侦探	zhēntàn	n.	detective	9
珍稀	zhēnxī	adj.	rare, valuable	15
真理	zhēnlǐ	n.	truth	19
真相	zhēnxiàng	n.	fact, truth	19
阵容	zhènróng	n.	battle array, battle formation	19
振兴	zhènxīng	v.	to cause to prosper, to revitalize	13
震撼	zhènhàn	v.	to shake, to shock, to stir	15
震惊	zhènjīng	v.	to shock, to astonish	9
争夺	zhēngduó	v.	to struggle for, to vie for	20
争先恐后	zhēngxiān-kǒnghòu		to strive to be the first, to vie with each other for the lead	7
挣扎	zhēngzhá	v.	to struggle	4
正经	zhèngjing	adj.	serious, proper	9
正宗	zhèngzōng	adj.	authentic	10
证实	zhèngshí	v.	to confirm, to verify	16
郑重	zhèngzhòng	adj.	serious, solemn	1
症状	zhèngzhuàng	n.	symptom	12
支撑	zhīchēng	v.	to prop up, to sustain, to support	16
支出	zhīchū	n.	expense, expenditure	14
支配	zhīpèi	v.	to control, to dominate	14
枝	zhī	n.	branch, twig	20
知足常乐	zhīzú cháng lè		happiness consists in contentment	11
执行	zhíxíng	v.	to carry out, to implement	5
执着	zhízhuó	adj.	persistent, persevering	14
职位	zhíwèi	n.	position, post	6
职务	zhíwù	n.	post, position, job	14
指标	zhǐbiāo	n.	target, norm, index	6
指南针	zhǐnánzhēn	n.	compass	13
指望	zhǐwàng	v.	to look forward to, to count on	16

致力	zhìlì	v.	to be devoted to	16
致使	zhìshǐ	v./conj.	to cause, to lead to	7
智能	zhìnéng	adj.	smart, intelligent	9
终身	zhōngshēn	n.	lifetime, all one's life	7
种子	zhǒngzi	n.	seed	15
众所周知	zhòngsuǒzhōuzhī		as everyone knows, as is well known	19
种植	zhòngzhí	v.	to plant, to grow	10
周边	zhōubiān	n.	surrounding, neighboring	17
粥	zhōu	n.	porridge, gruel	9
昼夜	zhòuyè	n.	day and night	16
皱纹	zhòuwén	n.	wrinkle	2
株	zhū	m.	*used for plants and trees*	18
主管	zhǔguǎn	n.	person in charge, manager	3
主流	zhǔliú	n.	mainstream, essential aspect	13
拄	zhǔ	v.	to lean on (a stick, etc.)	20
助手	zhùshǒu	n.	assistant	3
注视	zhùshì	v.	to gaze at, to look attentively at	16
专程	zhuānchéng	adv.	special trip	5
专题	zhuāntí	n.	special topic, special subject	14
砖	zhuān	n.	brick	20
庄稼	zhuāngjia	n.	crops	15
庄重	zhuāngzhòng	adj.	solemn, grave	9
壮丽	zhuànglì	adj.	magnificent, splendid	15
幢	zhuàng	m.	*used for buildings*	18
坠	zhuì	v.	to fall, to drop	18
准则	zhǔnzé	n.	norm, standard, criterion	19
着手	zhuóshǒu	v.	to put one's hand to, to begin	9
着想	zhuóxiǎng	v.	to consider, to think about	5
资深	zīshēn	adj.	senior, veteran	6
滋润	zīrùn	v.	to moisten	18
滋味	zīwèi	n.	taste, flavor	20
子弹	zǐdàn	n.	bullet	4
自力更生	zìlì-gēngshēng		to rely on one's own efforts	11
自主	zìzhǔ	v.	to decide for oneself, to be one's own master	2

宗教	zōngjiào	n.	religion	13
宗旨	zōngzhǐ	n.	aim, purpose	13
踪迹	zōngjì	n.	trace, trail, track	11
纵横	zònghéng	adj.	vertical and horizontal, in length and breadth	15
租赁	zūlìn	v.	to rent, to hire, to lease	13
足以	zúyǐ	v.	to be enough, to be sufficient	16
阻拦	zǔlán	v.	to stop, to block, to obstruct	15
祖父	zǔfù	n.	(paternal) grandfather	20
祖先	zǔxiān	n.	ancestor, forefather	12
钻研	zuānyán	v.	to make a careful study of, to study intensively	11
琢磨	zuómo	v.	to turn sth. over in one's mind, to ponder	16
作息	zuòxī	v.	to work and rest	9
做主	zuò zhǔ	v.	to decide, to make one's own decisions	7

超纲词 Words Not Included in the Syllabus

词语 Word/Phrase	拼音 *Pinyin*	词性 Part of Speech	词义 Meaning	课号 Lesson	级别 Level
			B		
*白噪音	bái zàoyīn		white noise	12	——
			D		
*大脑	dànǎo	n.	brain	8	——
			F		
*翻天覆地	fāntiān-fùdì		earth-shaking, tremendous	8	——
			J		
*即时	jíshí	adv.	immediately, at once, instantly	11	——
*酒窝	jiǔwō	n.	dimple	8	——
*就餐	jiùcān	v.	to have one's meal	10	——
			K		
*哭鼻子	kū bízi		to cry, to weep	2	——
			L		
*老公	lǎogōng	n.	husband	1	——
			Q		
*沏	qī	v.	to infuse, to make (tea, coffee, etc.)	6	——
			R		
*任	rèn	m.	term of office	1	——
			S		
*丝瓜	sīguā	n.	towel gourd, sponge gourd	18	——
			T		
*梯田	tītián	n.	terraced fields, terrace	15	——
*头脑	tóunǎo	n.	brain, mind	14	——
			Y		
*厌倦	yànjuàn	v.	to be tired of, to be weary of	4	——
*野生	yěshēng	adj.	wild, uncultivated	16	——
*移植	yízhí	v.	to transplant, to graft	8	——
*月饼	yuèbing	n.	moon cake	3	——
			Z		
*知音	zhīyīn	n.	person who is deeply appreciative of sb.'s talents, bosom friend	5	——